Mon Histoire

Portrait en couverture : Henri Galeron

Titre original : *Catherine, the great journey, Russia, 1743*
Édition originale publiée par Scholastic Inc.,
557 Broadway, New York, NY 10012, USA.

Kristiana Gregory

Catherine, princesse de Russie

1743-1745

Traduit de l'anglais
par Julie Lafon

GALLIMARD JEUNESSE

Pour Rip,
merveilleux mari et tendre père de mes fils

7 août 1743
Zerbst, Prusse

Depuis le château, la vue de la rivière me donne soif. Nous vivons un été torride. La fenêtre de la bibliothèque est ouverte pour laisser entrer la brise et, appuyée contre son rebord, je profite de l'air frais, heureuse que mes leçons de la journée soient terminées.

J'ai un précepteur pour chaque matière : mathématiques, littérature, sciences, mais aussi danse et musique. Mademoiselle Babette est mon professeur préféré. Tous les jours, elle m'enseigne les bonnes manières et le français, que je parle avec un léger accent allemand. C'est elle qui m'a offert ce journal pour mon anniversaire, en avril dernier.

J'écris assise, mon journal calé sur les genoux, et le reste du temps, je le range à l'abri sous des plumes, dans une boîte à chapeaux. Les plumes me permettent de savoir si quelqu'un l'a consulté. Dans la boîte, je garde aussi un flacon d'encre muni d'un bouchon et un couteau pour tailler mes plumes.

– Une jeune fille de quatorze ans est en âge de décrire le monde autour d'elle, m'a dit Mademoiselle après que j'ai déballé mon cadeau.

Pourquoi ai-je évité de m'en servir ces quatre derniers mois ? Je l'ignore. C'est peut-être cette timidité que je ressens parfois quand je noue de nouvelles amitiés ou que j'aborde un nouveau savoir. Il me faut du temps pour m'acclimater.

Bref, me voilà enfin, cher journal, prête à te dévoiler mes secrets...

Le lendemain

Il s'est enfin arrêté de pleuvoir et nous attendons dans la cour le début de la fête donnée pour l'anniversaire de Friedrich. Il a neuf ans aujourd'hui et semble très fier de son nouvel uniforme de soldat. En ce moment même, il fait les cent pas entre les murs du château. Ses bottes noires sont déjà trempées à force de patauger dans les flaques, car il adore effrayer les canards. Je suis soulagée que son épée, cadeau de mon père, soit en bois : si mon frère continue à la brandir ainsi de tous côtés, il va finir par blesser quelqu'un.

Quelques enfants du village franchissent les grilles du château avec leur petit cadeau empaqueté à la main.

Les garçons portent un chapeau noir et une redingote, les filles, un tablier blanc immaculé par-dessus leur robe. Leurs voix stridentes trahissent l'excitation. Je les rejoindrai dans un moment.

Je suis assise à l'ombre, devant une fenêtre ouverte du grand salon. J'entends mère au premier étage. Une fois de plus, elle est en colère et je suis prête à jurer qu'elle surveille les enfants qui jouent sous le soleil de plomb.

« ... ne convient pas à un prince allemand... Ce n'est pas juste... »

Ces mots reviennent souvent dans sa bouche quand elle se lamente au sujet de notre pauvreté, bien qu'elle-même soit de sang royal. À l'occasion de mon anniversaire, en avril, les villageois ont apporté des paniers remplis de bretzels moelleux et de *pfeffernüsse*, de petits pains d'épice enrobés de sucre, mes favoris. J'étais sincèrement touchée.

Mère, quant à elle, s'imagine que nos hôtes devraient être des ducs et des comtes avec d'élégants cadeaux tels que des bijoux et des invitations à visiter leur château. Elle n'a pas compris que la plupart des nobles l'évitent parce qu'elle se fâche pour un rien. Ce n'est pas drôle de vivre avec quelqu'un qui se met toujours en colère. C'est du moins ce que me disent nos femmes de chambre.

Oh, les enfants se mettent en ligne pour jouer... La fête a commencé !

Après la fête de Friedrich...

Comme il faisait chaud aujourd'hui, mon frère a suggéré que tous les enfants, au nombre d'une trentaine, se déshabillent et sautent dans la rivière ! Un silence terrible, au cours duquel mère a pris une grande inspiration. Mais avant qu'elle ait eu le temps d'ouvrir la bouche, papa nous a menés dehors jusqu'à un petit banc de sable puis il nous a distribué des bouts de bois et de la ficelle. Nous devions construire chacun notre bateau et le faire voguer sur les vaguelettes qui venaient lécher la rive.

Eh bien ! À croire que papa nous avait fait boire du poison ! Le visage de mère a viré au rouge. Elle a secoué sa perruque bouclée en agitant les bras.

– Pour l'amour du ciel ! Friedrich est un prince et non un paysan !

Puis elle a battu en retraite vers le château, en prenant soin de relever le bas de sa robe. J'ai entendu ses souliers claquer sur les pierres du chemin. Sa jupe maintenue par des cerceaux se gonflait à chacun de ses pas.

Minuit

Je viens d'enfiler ma chemise de nuit. Les hautes fenêtres de ma chambre sont ouvertes pour laisser entrer l'air nocturne. Il fait encore chaud. Les toits sont plongés dans l'obscurité à l'exception, çà et là, d'une lucarne éclairée par la lueur vacillante d'une bougie. Au-delà du château, des torches illuminent la rive. Je sens l'odeur du feu autour duquel les pêcheurs doivent préparer un dîner tardif.

Mademoiselle Babette est une femme dodue et enjouée qui bavarde en français à longueur de journée. En entrant pour me souhaiter bonne nuit, elle m'a transmis un message de mère. Je dois la retrouver demain dans le jardin pour une autre discussion.

C'est la raison pour laquelle je n'ai pas pu m'endormir. Ces tête-à-tête se terminent toujours par des larmes.

La discussion

Ce matin, Mademoiselle est venue me réveiller en ouvrant les volets. Un soleil éclatant a inondé la chambre. Après que je me suis aspergé le visage d'eau fraîche, elle m'a démêlé et tressé les cheveux. Ils m'arrivent presque à la taille et sont de la même couleur que mon collier d'ambre, c'est-à-dire châtain doré. Ma redingote bleue lacée sur le devant et ornée de rubans s'accorde à merveille avec ma robe. Les manches de mon corsage sont boutonnées du coude au poignet. Je me sentais élégante, ce matin. Pourtant, quand je suis descendue au jardin, mère a secoué la tête en me voyant.

– Ma pauvre princesse allemande. Vous n'avez aucun charme, on dirait un crapaud. Qui donc voudra de vous ?

Je me suis assise sur un banc près de la fontaine. Des oiseaux chanteurs venaient y boire et s'envolaient dès que je plongeais ma main dans l'eau. Le problème est le suivant : à moins que je n'épouse un homme de descendance royale, je suis condamnée (et ma famille avec moi) à cette vie modeste. Papa ne possède que son grade de général dans l'armée prussienne et il n'a pas de sang royal. Selon mère, il n'est rien de plus qu'un luthérien ennuyeux.

– Savez-vous, ma chère, a-t-elle dit en s'approchant si près que j'ai senti son haleine qui puait le fromage, que j'avais à peine quinze ans lorsque j'ai épousé votre père. Il était assez vieux pour être grand-père. Vous n'imaginez pas combien ma mère a pleuré. Elle aurait voulu que j'épouse un roi et non un soldat, mais c'était le meilleur arrangement que ma famille pouvait espérer. Nous n'étions ni riches ni renommés.

À ces mots, j'ai contemplé les yeux de ma mère. Ils sont bleus comme les miens. Un pli soucieux lui barre le front mais, lorsqu'elle sourit, je la trouve jolie.

J'aimerais la voir sourire plus souvent.

Mère s'est levée pour faire le tour de la fontaine avant de se rasseoir. Elle a dressé une liste de quelques ducs et comtes susceptibles de chercher une épouse. Comme elle a soupiré en me décrivant le roi de France, Louis XV ! Si seulement il avait un fils ou un neveu qui voulait bien de moi, je pourrais — elle pourrait — vivre à Versailles, le plus vaste palais d'Europe.

Le parti le plus prometteur serait Charles-Pierre Ulrich de Holstein, un duc allemand. Je l'ai rencontré lorsque j'avais dix ans... Je n'en garde pas un souvenir impérissable mais mère met un point d'honneur à me rappeler tous les détails de notre rencontre.

J'ai épuisé ma réserve d'encre...

Plus tard

Heureusement que l'encre en poudre n'est pas chère, sans quoi je me sentirais bien seule sans toi, mon cher journal.

Pour en revenir à Charles-Pierre... Les voyages plongent mère dans un état d'excitation incroyable ; ils sont pour elle un moyen de fuir le quotidien ennuyeux de Zerbst. Fréquenter la noblesse lui rend le sourire et lui délie la langue. Ainsi, quand nous avons été invités à une fête royale il y a quatre étés de cela, elle était extatique !

Nous séjournions alors dans notre palais à Stettin, le village où je suis née, qui est situé au nord de Zerbst sur l'Oder. Notre bateau a levé l'ancre et remonté le fleuve jusqu'à la mer Baltique.

Je suis restée sur le pont avec Mademoiselle. Le vent me fouettait le visage comme si je chevauchais un coursier très rapide. Quel plaisir de respirer les embruns et de sentir les vagues soulever la coque ! Nous avons longé la côte nord pendant des heures, en contournant les îlots et les langues de terre, avant d'atteindre le port de Kiel.

Nous étions logés dans un château perché sur un promontoire rocheux, pour ce mariage auquel devaient assister des monarques venus de toute l'Europe. Je me souviens de leurs immenses perruques poudrées et de la puanteur ambiante, car beaucoup d'entre eux n'avaient apparemment pas l'habitude de prendre des bains. Plusieurs dames avaient noué en guise de bijou de petits sachets de satin autour de leur cou, qui contenaient des pétales de rose et des épices, mais qui ne parvenaient pas pour autant à assainir l'atmosphère.

Un après-midi, mère m'a présenté un garçon d'à peu près mon âge, en me poussant du coude pour que je lui fasse la révérence.

– Figchen, voici votre petit-cousin, m'a-t-elle expliqué avant de me glisser à l'oreille : et petit-fils de Pierre le Grand. Il descend du roi de Suède.

J'ouvre ici une parenthèse : Figchen est, parmi mes nombreux surnoms, celui que je préfère. Il signifie « Sophie chérie ». Mon titre complet, Sophie Augusta Fredericka, princesse d'Anhalt-Zerbst, est relativement court comparé à celui des autres princesses royales. Je préfère encore cela à « guenon » ou « laideron ».

D'après mère, c'est un honneur d'être apparenté à Pierre le Grand. C'était un tsar russe qui mesurait plus de deux mètres. J'ai entendu bon nombre d'histoires sur son compte tout au long de ma vie. Mon anecdote favorite est celle des nains. Un jour, à l'occasion d'une fête, il a fait défiler soixante-douze nains dans son palais. Imaginez la scène, soixante-douze petits bonshommes, vêtus du costume russe, s'avançant deux par deux dans le grand salon !

Ensuite il fit porter au centre de la salle une énorme tourte de la taille d'un carrosse. Quelqu'un parmi l'assistance a enfoncé une épée d'argent dans la pâte pour la découper, et deux nains en sont sortis en chantant ! Ce que personne n'a voulu m'expliquer, c'est la manière dont on s'y est pris pour faire cuire cette tourte sans malmener ces petits hommes !

« Tsar » est le nom que les Russes donnent à leur empereur. La « tsarine » est leur impératrice. Un matin, tandis que je me promenais dans la cour avec papa, il m'a expliqué l'origine de ce titre. Le mot vient du nom de l'empereur le plus célèbre de tous les temps : César.

Pour en revenir au petit-cousin...

Mère me fait toujours de la peine quand elle me rappelle que je ne suis ni belle ni riche, et je voudrais bien qu'elle cesse de mentionner le nom de mon cousin.

À vrai dire, la première fois que je l'ai vu, je l'ai pris pour une fille. Il a des traits doux, le teint pâle, et des cheveux bouclés qui lui arrivent aux épaules.

Le château de Kiel, où nous séjournions, possédait une salle de jeux dont les fenêtres s'ouvraient sur la mer. Charles-Pierre m'a montré ses soldats de plomb qu'il avait alignés sur les rebords des fenêtres. Leur uniforme se composait d'une redingote peinte en rouge vif, d'une culotte blanche et de bottes noires qui s'arrêtaient au genou. Il m'a expliqué qu'ils montaient la garde pour prévenir l'arrivée de vaisseaux ennemis.

– Ce ne sont que de stupides figurines, ai-je répondu.

Je le répète, je n'avais alors que dix ans. Ma remarque l'a tellement blessé que, muni d'une épée de bois, il a fait voler les soldats un par un en mimant des bruits d'explosion avec sa bouche comme s'il les abattait d'un coup de fusil.

– Regarde ce que tu viens de faire, méchante ! s'est-il écrié.

Puis il s'est dirigé vers une petite table sur laquelle étaient posés des carafes de vin et autres rafraîchissements. Il s'est rempli un verre d'un liquide ambré, qu'il a vidé d'une seule gorgée.

Il dégageait une odeur fétide qui me donnait la nausée. Quand je me suis plainte qu'il empestait, il a répliqué :

– Je n'ai jamais pris un bain de ma vie, je n'en prendrai jamais et personne ne m'y obligera.

Voilà le garçon que veut me faire épouser mère.

17 août 1743, Zerbst

Ma sœur Élisabeth fête ses huit mois aujourd'hui. Ulrike — c'est le surnom que je lui donne — est la coqueluche du château : elle chante ! Non pas des mélodies reconnaissables mais sa voix douce alternant les graves et les aigus me rappelle le chant d'un rouge-gorge. Elle rampe partout, ce qui lui vaut des genoux sales et les réprimandes de mère quand elle la prend sur le fait. Les femmes du château se donnent un mal fou pour tenir propre notre petite princesse.

Nous avons renvoyé sa nourrice hier, une incapable ! Ulrike a pleuré toute la nuit parce que, d'ordinaire, on lui donne le sein pour l'endormir. Ce soir, j'essaierai de la distraire avec une histoire. Je lui parlerai peut-être du jour où notre cousin a fait voler ses soldats de plomb par la fenêtre.

Cher journal, je suis si contente de t'avoir... Tout le monde en a après moi, aujourd'hui ! J'ai voulu tremper mes pieds dans la rivière pour me rafraîchir. Il faisait trop chaud pour m'atteler aux devoirs donnés par Mademoiselle : quatorze pages extraites d'une pièce de Molière à traduire du français vers l'allemand, une véritable torture ! Je me suis glissée à l'extérieur pendant que le garde avait le dos tourné. Il ne m'a pas vue, il était trop occupé à se moucher, le visage tourné vers le mur.

Quel délice d'être seule, sans professeurs ni dames de compagnie ! Bientôt, des filles du village sont venues me rejoindre et nous avons jeté des cailloux dans l'eau. Nous nous sommes même baignées jusqu'à la taille en laissant nos jupes flotter autour de nous.

Quand je suis rentrée en fin d'après-midi, mère était folle de rage. Elle m'a frappée jusqu'au sang. J'avais mal mais je ne voulais pas qu'elle me voie pleurer.

– Une vulgaire paysanne, voilà ce que vous êtes ! a-t-elle crié. Avec de la chance, vous finirez poissonnière. Vous voulez donc déshonorer votre famille ?

En courant me réfugier dans mes appartements, j'ai croisé Mademoiselle Babette dans le vestibule. Elle n'a rien dit, elle s'est contentée de regarder droit devant elle. En voyant la marque rouge sur sa joue, je me suis demandé si mère ne l'avait pas frappée, elle aussi. Après avoir verrouillé ma porte, j'ai cogné au mur pour vérifier si Friedrich était dans sa chambre. Nous avons inventé un signal secret afin de nous tenir compagnie quand nous nous sentons seuls. Cette fois, pourtant, je n'ai pas eu de réponse. Je me suis jetée sur mon lit et j'ai éclaté en sanglots.

Un miroir est suspendu au-dessus de mon écritoire. Mon reflet me harcèle ! Pourquoi ne suis-je pas belle ? J'ai un nez long et fin, un menton proéminent et des boutons. Je ne me trouve aucun charme ! Mais, au moins, mes dents ne sont pas gâtées comme celles de certaines personnes que je connais et dont je ne citerai pas le nom.

Trois jours plus tard

Avec Mademoiselle Babette, je peux partager des secrets et aborder de nombreux sujets. Elle me dit que je suis intelligente et capable de grandes choses ; elle se réjouit que j'aime sa langue maternelle et que je la parle couramment.

– Figchen, toute personne de bonne condition se doit de connaître le français, me répète-t-elle, le doigt toujours levé pour appuyer son propos. Elle m'a mise au défi de rédiger mon journal en français afin que je le pratique aussi à l'écrit. Mais j'ai trouvé une autre bonne raison : mère ne lit que l'allemand et un peu le suédois.

Le portrait

Il est trois heures du matin et je suis assise par terre près de la fenêtre de ma chambre. Les volets ouverts me dévoilent le village éclairé par la lune. Tout le monde dort, semble-t-il. Il me reste de la bougie, je peux donc écrire jusqu'au lever du soleil si le cœur m'en dit.

Tout à l'heure, je me suis réveillée en sursaut. Je suis obnubilée par ce que mère m'a dit l'autre jour, au cours de notre discussion. En décembre dernier, à Berlin, quelques jours après la naissance de la petite Ulrike, elle m'a conduite en voiture de l'autre côté de la ville, dans un grand bâtiment de pierre.

Le but de notre visite ? Rencontrer le peintre français Antoine Pesne.

Dans son atelier, il m'a fait poser près d'une fenêtre qui atteignait le plafond. Les rideaux avaient été tirés afin de laisser entrer autant que possible la lumière grise de l'hiver. J'ai dû rester immobile pendant des heures, le visage tourné vers le peintre, les mains sur les hanches. Je n'avais pas le droit de parler, même mes lèvres devaient rester scellées. Son français était comme celui de Babette, facile à comprendre. Il m'a expliqué qu'il avait été engagé par Élisabeth Petrovna, l'impératrice de Russie, pour peindre mon portrait.

Elle veut savoir à quoi je ressemble.

L'artiste appliquait de petites touches de couleur sur la toile tout en étudiant mes cheveux, mes joues et mon cou. Au cours de la séance, il m'a révélé un petit secret : dans toute l'Europe, des jeunes femmes de la noblesse font expédier leur portrait à Saint-Pétersbourg afin de gagner la faveur de l'impératrice.

Elle veut trouver une épouse à son neveu, Charles-Pierre. Il semble que mon cousin ne sera pas roi de Suède, finalement. Il vit maintenant en Russie, sous l'étroite surveillance de sa tante qui l'a désigné comme héritier de son trône. À sa mort, il deviendra tsar et régnera sur la Russie entière. Sa femme sera donc impératrice.

Mon cousin répond maintenant au titre de grand-duc Pierre. Il a dû renoncer à son éducation luthérienne — la même que moi — pour embrasser la religion orthodoxe. Je me demande si l'impératrice insiste aussi pour qu'il se lave.

J'ai observé le visage de monsieur Pesne pendant qu'il travaillait. Il était vêtu d'une blouse bleue ceinturée et longue jusqu'aux pieds. Il portait, en guise de perruque, un béret qui lui recouvrait l'oreille gauche. Ses sourcils noirs me faisaient penser à deux grosses chenilles.

S'il vous plaît, faites en sorte que j'aie l'air jolie, avais-je envie de lui dire. S'il vous plaît, ne peignez pas mes boutons. Mais je suis restée silencieuse. Je n'osais pas lui avouer ce que je ressentais : de la peur, de l'embarras. Ce jour-là, mère lui a fait comprendre qu'elle me trouvait laide. Alors, pour la peine, j'ai décidé de me tenir bien droite.

Si Sa Majesté impériale ne voit pas de beauté en moi, elle remarquera peut-être mon caractère. Quant à mon cousin, il n'a pas son mot à dire au sujet de son mariage.

Dis-moi donc, cher journal, pourquoi, bien des mois après, je suis debout à quatre heures du matin ?

Hélas, deux gentilshommes de la cour russe sont arrivés hier pour me regarder de plus près et me poser des questions. Ensuite ils rentreront à Saint-Pétersbourg pour faire leur rapport à l'impératrice et lui remettre un autre portrait de moi qui doit être exécuté cette semaine.

L'idée d'être jaugée comme un vulgaire objet me désespère.

À l'heure du thé, mère était si heureuse d'avoir ces deux gentilshommes dans son salon qu'elle s'est montrée sous son meilleur jour. Elle m'a parlé avec douceur tout en me tendant une assiette de *pfeffernüsse*, comme si nous étions des amies de cœur.

Les Russes s'adressaient à nous en allemand. J'ai bien aimé leur accent, mais pas les efforts de mère pour glisser des expressions françaises dans la conversation. Lorsque l'un des hommes nous a raconté qu'une averse avait inondé la route, elle a répondu « c'est fromage » au lieu de « c'est dommage ».

L'homme a manqué s'étrangler avec son gâteau mais il s'est repris et a hoché la tête en souriant.

Plus tard dans l'après-midi, mère est venue me trouver au petit salon où j'étais occupée à jouer avec Ulrike. Je lui ai fait part de son erreur avec tout le tact dont j'étais capable. Elle m'a lancé un regard haineux avant de se saisir d'un vase de cristal posé sur une étagère. C'était un cadeau de Babette, qui contenait de magnifiques roses d'été.

– Vous vous croyez donc si maligne ? a-t-elle déclaré en se dirigeant vers la fenêtre ouverte, puis elle s'est penchée et elle a laissé tomber le vase. Je l'ai entendu voler en éclats dans la cour.

J'étais si choquée que je suis restée sans voix. Alors j'ai pris ma sœur sur mes genoux et je l'ai serrée fort contre moi.

Un après-midi torride

Il a fallu deux semaines au nouveau peintre pour exécuter mon portrait. Quand je n'étais pas obligée de prendre la pose en silence, nos visiteurs russes me questionnaient à propos de tout et de rien. Ils passaient souvent de l'allemand au français pour tester ma maîtrise de cette langue qui est considérée comme la langue diplomatique de la cour.

Mère était toujours présente à ces occasions, elle hochait la tête en souriant à mon intention comme si ses yeux pouvaient me communiquer les bonnes réponses. Elle feignait de comprendre, je sais que notre conversation lui échappait.

Les deux gentilshommes ont quitté notre château tôt ce matin comme le soleil se levait sur un méandre de la rivière. D'une fenêtre à l'étage, j'ai regardé leurs chevaux et leurs voitures chargées de bagages s'éloigner sur la route pavée, et sortir du village pour reprendre le chemin de la Russie.

L'une des voitures transportait mon nouveau portrait.

La peinture n'avait même pas fini de sécher, si bien qu'on avait dû installer la toile entre deux caisses ouvertes qui ne touchaient pas sa surface humide. L'idée m'est venue que des insectes seraient susceptibles de se poser sur la peinture et de me défigurer. Qu'adviendrait-il si, après un long périple, l'impératrice, en découvrant mon portrait, trouvait une guêpe collée sur mon front ?

Accablée par cette pensée, je me suis assise par terre, genoux ramenés contre la poitrine, pieds nus sur le marbre froid. Dans la cour, les oiseaux regagnaient leur nid aménagé sous les toits.

Un cri m'a fait sursauter.

– Vous vous tenez fort mal ! s'est écriée ma mère. Redressez-vous, jeune fille, ou nous ferons revenir le bourreau. Personne ne voudra d'une princesse allemande sans le sou avec un dos voûté.

Réprimant sa rage, mère a pris une grande inspiration, et j'ai bien cru que son corset allait se déchirer. Ses paroles m'ont donné la chair de poule.

L'après-midi touche à sa fin. J'écris sur une petite table installée près de la fenêtre afin de profiter de la brise. Le fumet de la viande rôtie et des oignons me met en appétit. Une jeune servante vient de passer la tête dans l'embrasure pour m'annoncer — en français — que le dîner est servi. Elle vient sans doute d'arriver de France car je ne l'ai jamais vue auparavant. Je reprendrai mon récit plus tard.

Après le dîner

Lors des repas, je suis assise en face de Friedrich tandis que nos parents sont installés chacun à un bout de la table. Au dîner, nous avons eu droit à une soupe d'épinards avec du pain noir et du beurre. Notre petite sœur est restée en cuisine avec sa nourrice qui lui donne à manger à la cuillère. Ulrike mange très salement. Si le repas n'est pas à son goût, elle le recrache et en barbouille tout ce qui se trouve à sa portée. Elle cause tant de désordre que mère ne l'accepte pas dans la salle à manger.

J'ai expédié mon dîner afin de revenir bien vite auprès de toi, mon cher journal. Toutes les fenêtres sont ouvertes dans ma chambre, et l'air du soir est doux. De la place du village me parviennent le son de l'accordéon et des rires joyeux. Il doit y avoir un bal. Bien que le soleil soit couché, le ciel est encore assez clair pour que je me passe de chandelle.

Suite... À l'âge de sept ans, j'ai contracté une pneumonie au cours d'un séjour dans notre château de Stettin. Quand mon état s'est enfin amélioré, les femmes de chambre m'ont lavée avec des éponges chaudes. Pendant qu'elles m'habillaient, elles se sont aperçues que mon dos s'était voûté à force de rester alitée, pendant des semaines entières, à tousser. Mon épaule gauche était beaucoup plus basse que la droite et, en me regardant dans le miroir, j'avais l'impression de ressembler à la lettre Z.

Je ne m'en inquiétais pas beaucoup, mais mes parents, eux, étaient horrifiés. Leur fille déjà fort quelconque se retrouvait maintenant estropiée. Après s'être longuement consultés à voix basse, ils ont fait jurer aux servantes de garder le secret.

– Comment Figchen pourra-t-elle porter une couronne ornée de joyaux si elle ne peut même pas se tenir droite ? les ai-je entendus dire. Une épouse royale doit avoir un bon maintien.

Ils n'en finissaient pas de se tourmenter.

Et puis un beau jour ils ont fait venir un villageois dans mes appartements. Le chapeau à la main, il a jeté un regard circulaire à la pièce. Son chapeau était noir, ainsi que son manteau et sa culotte. Ses souliers étaient crépis de boue, mais pour une fois mère ne semblait pas se formaliser de la présence d'un visiteur aussi misérable.

Je ne savais ni qui il était ni pourquoi on l'autorisait à poser les yeux sur moi.

Au sujet du bourreau

Après quelques instants, mère m'a guidée derrière un paravent et a déboutonné ma robe. Il ne me restait que ma chemise de coton longue jusqu'aux genoux. À ma grande honte, elle m'a poussée près de la fenêtre afin que je me tienne en pleine lumière.

L'homme m'a examinée, allant jusqu'à palper la peau nue de mon dos avec ses mains rugueuses. J'aurais voulu mourir tant j'étais gênée mais le regard d'acier de mère m'enjoignait de me taire. Je devais apprendre par la suite que c'est la connaissance de cet homme en matière de cordes et de poulies qui lui avait valu cette tâche honorable quoique secrète.

Le lendemain, il est revenu avec un maintien pour mon dos. En apparence, ce n'était rien de plus qu'un corset amélioré, mais une fois qu'il a fini de me sangler, j'avais du mal à respirer. Puis il a emmailloté mon épaule droite dans une large écharpe noire qu'il a ensuite fait passer autour de mon bras avant de l'attacher solidement derrière mon dos. Je me sentais aussi raide qu'un épouvantail. Dès ce jour, seules les servantes les plus dignes de confiance étaient autorisées à m'habiller et à me laver. Comme je détestais cela ! Les nuits étaient longues et, souvent, le sommeil ne venait pas avant les premières heures de l'aube tant j'avais de mal à trouver une position confortable.

Jour et nuit, mois après mois, je devais porter cet attirail que je ne pouvais retirer que pour changer de sous-vêtements. Le bourreau venait tous les matins vérifier l'évolution de mon état et ajuster mon corset en le resserrant la plupart du temps. Je me demandais s'il s'y prenait de la même manière lorsqu'il travaillait sur l'échafaud de Stettin et, plongée dans ces sinistres réflexions, j'avais du mal à le regarder dans les yeux.

Après presque deux ans, il a constaté que ma colonne vertébrale commençait à se redresser. Avant de retourner à Kiel par le bateau, nous avons enfin jeté mon corset au feu. Bien entendu, mes parents étaient fous de joie. En fin de compte, j'étais assez présentable pour rencontrer Charles-Pierre et les autres monarques.

C'est pourquoi j'ai eu si peur lorsque mère a mentionné le bourreau cet après-midi.

27 août 1743, Zerbst

Il y a un an jour pour jour, mon frère chéri Wilhelm est mort des suites d'une fièvre. Il avait onze ans et moi, treize. Ma mère s'est évanouie lorsque les médecins lui ont annoncé la terrible nouvelle. Je me souviens que, grosse de l'enfant qu'elle portait, elle gisait dans le vestibule, inconsolable, agrippée à sa femme de chambre. Le chagrin pèse encore sur elle comme une chape de plomb. Quand elle entend le nom de mon frère, elle se détourne, les yeux remplis de larmes.

Quelques mois plus tard, ma sœur Élisabeth — Ulrike — est née à Berlin. Mère l'a baptisée en l'honneur de l'impératrice russe et, aux premiers jours du printemps, des messagers sont venus en traîneau de Russie chargés d'un présent. Il s'agissait d'un portrait de l'impératrice Élisabeth serti de diamants, car elle est la marraine d'Ulrike !

Je ne sais pas comment s'est arrangée ma mère pour nouer ce lien, mais elle était aux anges.

– Enfin, s'est-elle écriée, enfin nous sommes liés à la véritable royauté. Apparemment, ce présent signifiait aussi à mère que l'intérêt porté par l'impératrice à notre famille n'était pas anodin.

Mais pourquoi moi ? Je me le demande. Si je suis aussi pauvre et laide qu'on le prétend, pourquoi l'impératrice envisage-t-elle de me faire épouser son neveu ?

Au cours d'une leçon d'histoire, mademoiselle Babette m'a parlé des mariages royaux.

– Ce n'est rien de plus que de la politique, ma chérie. Un jeu d'échecs avec de vrais rois, de vraies reines et de vrais pions.

L'idée que tout cela ne soit qu'un jeu me révoltait.

– Vraiment ? ai-je demandé. Je ne suis donc qu'un pion ?

– C'est un fait.

Elle a haussé les épaules en levant les mains, paumes tournées vers le ciel, dans un geste typiquement français tout à fait charmant.

– L'impératrice de Russie n'est pas mariée et elle prend de l'âge. Elle veut absolument perpétuer sa lignée et, puisque ce pitoyable freluquet, Charles-Pierre, est son unique héritier, elle doit lui trouver une épouse. Ainsi il y aura des enfants et quelqu'un pour hériter du trône.

En lisant la déception sur mon visage, elle a ajouté :

– Je sais, ma chérie, je sais. Ce n'est pas le moins du monde romantique mais, que voulez-vous, même les Français font ce genre de choses.

Avant le coucher

Mademoiselle Babette vient d'entrer pour me remettre une petite bougie d'environ un pouce de long. Comme cela, je ne pourrai pas veiller trop tard pour écrire.

Mère a donné des ordres : je dois dormir davantage.

– L'impératrice ne veut pas d'une jeune fille de constitution délicate avec des cernes sous les yeux, a-t-elle dit. La femme de Charles-Pierre doit être en parfaite santé.

Cette nouvelle règle me rappelle la fois où mère m'a confisqué mes poupées et autres jouets. J'avais sept ans. Elle a décrété que je n'avais plus besoin de ces sottises (ce sont ses mots) maintenant que j'étais une grande fille.

À vrai dire, les poupées ne m'ont jamais beaucoup amusée : leur tête de porcelaine se brise lorsqu'on les fait tomber, et leurs minuscules souliers noirs se perdent comme un rien. Quelle ironie, sachant qu'elle veut maintenant me faire épouser un garçon qui passe son temps à jouer avec des soldats de plomb et à faire des bruits grossiers avec sa bouche !

Je dois pourtant avouer que, même si Charles-Pierre est un garçon méprisable, je crois que je pourrais supporter d'être sa femme, tant le titre d'impératrice est doux à mes oreilles. Hélas, n'étant qu'un pion, je laisserai à d'autres le soin de me mettre sur le trône.

Lorsque j'ai répété ces mots à mademoiselle Babette, elle m'a répondu que j'étais bien ambitieuse pour une jeune fille de quatorze ans. Mais je trouve que l'adjectif « pratique » me convient mieux. Si je suis obligée de me marier, autant améliorer la condition de ma famille plutôt que de la disgracier en épousant un homme sans avenir.

Je n'ai plus de chandelle.

31 décembre 1743, Zerbst

Quatre longs mois se sont écoulés sans que j'écrive une ligne !

Cher journal, je t'avais perdu jusqu'à ce que mademoiselle Babette, il y a quelques instants à peine, rapporte ma boîte à chapeaux qu'on a retrouvée ce matin dans le grenier.

Il nous a fallu du temps pour éclaircir cette histoire mais la voici : un après-midi de l'été dernier, au coucher du soleil, Friedrich et moi sommes descendus dans la cour qui, étant à l'ombre, nous permettait de jouer au frais, et nous avons inventé un jeu qui consistait à dessiner avec des craies sur le mur de pierre. Quand on nous a appelés pour le dîner, je suis remontée dans ma chambre où j'ai trouvé la porte de mon armoire ouverte. Je n'y ai pas vraiment prêté attention jusqu'à ce que je découvre que ma boîte à chapeaux avait disparu, et mon journal avec ! La panique m'a coupé le souffle.

Mère a ordonné une fouille. Tout le monde, des cuisinières aux femmes de chambre, a subi un interrogatoire en règle, mais personne n'avait vu ou entendu quoi que ce soit qui puisse éveiller les soupçons.

Mademoiselle m'a offert une ardoise pour que je puisse continuer à écrire mais ce n'était pas pareil. Là, pas de couverture ni de pages qu'on pouvait refermer. Par ailleurs, j'étais obnubilée par la pensée qu'un jour ou l'autre, quelqu'un finirait par tomber sur mon journal. Les semaines ont passé. L'automne est arrivé avec ses feuilles mortes et ses nuits froides, suivi des premiers flocons. Noël est venu puis est reparti.

Et cet après-midi même, à la veille du nouvel an, la jeune servante française s'est fait surprendre en train de voler la cuillère en argent d'Ulrike. Elle l'a glissée dans son tablier puis s'est précipitée vers le grenier. Mais, dans sa hâte, elle ne s'est pas aperçue que deux autres domestiques témoins de la scène la suivaient à l'étage. Dès qu'ils ont franchi la petite porte, de nombreux vols ont pu être élucidés. Dans la pièce se trouvait ma boîte à chapeaux ainsi que d'autres trésors : des broches appartenant à mère, des boucles d'oreilles, des cols de dentelle, des bas de soie, des mouchoirs, de l'argenterie, et un gobelet en or.

Avec le temps, mère avait remarqué la disparition de ces objets mais ne savait pas où chercher.

La fille a été renvoyée sur-le-champ, bien sûr, mais non sans avoir subi le fouet dans le grand vestibule, en présence des autres domestiques qui avaient ordre d'assister à la sentence. J'ai entendu ses hurlements résonner dans les couloirs mais je suis restée de glace car, à ce moment-là, j'étais en train de passer en revue les pages du journal sur lesquelles j'ai découvert des traces de doigts sales.

Elle l'avait donc lu.

1er janvier 1744, Zerbst

Il est presque onze heures du soir mais je n'arrive pas à dormir. Le vent projette des flocons de neige sur mes fenêtres. Le blizzard souffle depuis plusieurs heures. Bien que l'air glacial pénètre dans ma chambre, je préfère laisser les volets ouverts pour regarder audehors.

Papa et mère se sont enfermés dans la bibliothèque une bonne partie de la soirée. Pendant des heures, des visiteurs ont défilé mais les lourdes portes sont restées closes et je n'ai pas pu écouter les conversations. Les domestiques ont passé leur temps à éponger les flaques d'eau dans les couloirs. Pour finir, mère m'a envoyée me coucher, mais mademoiselle Babette a eu la bonté de me donner une grande bougie.

Je peux donc écrire jusque tard dans la nuit. Voici ce qui s'est passé : juste après le dîner, tandis que nous attendions que l'on serve le dessert à table, un messager venu de Berlin est arrivé avec un paquet de lettres. Son manteau était couvert de neige en raison de la tempête.

Papa a dénoué la ficelle qui retenait les lettres avant d'en inspecter les enveloppes. Il a étudié l'écriture de l'une d'elles en particulier, les sourcils froncés, puis l'a tendue à mère.

En me penchant, j'ai reconnu la calligraphie d'un grand-duc russe avec lequel elle correspond depuis plusieurs années. Dans un coin de l'enveloppe figuraient les mots suivants : *Personnel ! Très urgent ! À l'attention de Son Altesse la bien née princesse Jeanne Élisabeth d'Anhalt-Zerbst, en son château de Zerbst.*

Mère a déchiré le sceau de la lettre, un cachet de cire rouge, puis a feuilleté les parchemins — au nombre de douze ! — avant de se plonger dans une lecture silencieuse.

En me penchant à nouveau, j'ai réussi à lire les mots : *... avec la princesse, sa fille aînée...* J'ai retenu mon souffle. Le duc faisait allusion à moi !

– Figchen, a ordonné mère en reposant la lettre face contre la table, montez dans votre chambre immédiatement.

Je me demande...

Il est minuit. La grande horloge de chêne du vestibule vient de sonner les douze coups, les plus lents que j'aie jamais entendus.

La tempête s'est calmée. D'ici, je vois la fenêtre du rez-de-chaussée de l'autre côté de la cour. Elle est éclairée par des chandelles. Jusqu'à quelle heure comptent ils bavarder ?

Je me demande si l'impératrice Élisabeth prévoit de nous faire venir, mère et moi. Mon portrait est peut-être arrivé à destination en bon état et il lui a peut-être plu. Mon petit doigt me dit que j'ai vu juste et qu'elle m'a choisie pour être la femme de Pierre.

Demain je demanderai à mère de me dire ce qu'il en est.

2 janvier 1744, Zerbst

Mère refuse de me parler. Si ce que je soupçonne se révèle vrai — si la lettre me concerne —, pourquoi ne dit-elle rien ? Pourquoi s'obstine-t-elle à me laisser dans l'ignorance ?

Je me sens si frustrée ! Ne sait-elle pas que je suis malheureuse quand elle m'ignore ?

3 janvier 1744, Zerbst

Il neige. La cour est ensevelie. Je passe beaucoup de temps devant mon bureau à étudier mais aujourd'hui je m'autorise à rêvasser en regardant par la fenêtre. Ce qui se passe dehors m'amuse beaucoup... Depuis une heure, trois jeunes domestiques munis de pelles s'activent dans la cour. Ils sont censés dégager un passage pour les voitures ; au lieu de quoi, ils font une bataille de boules de neige.

Mademoiselle est restée avec moi pour les observer. Elle aussi a beaucoup ri.

– Les garçons, français ou allemands, sont tous les mêmes. Avec un seul le travail est accompli, avec deux il est à moitié fait, avec trois il faut s'attendre à des ennuis.

Au petit déjeuner, tout en étalant de la marmelade sur son pain, mère a réussi à me faire un sourire. Enhardie par cette marque d'affection, je l'ai questionnée à propos de la lettre.

– Chut ! s'est-elle écriée. Elle a reposé son couteau pour me frapper la main.

La douleur m'a fait monter les larmes aux yeux. Avec une révérence, j'ai quitté la table.

Pendant la leçon de grammaire, Friedrich a apporté son livre dans ma chambre afin que nous puissions étudier ensemble. Il fait des progrès en français bien qu'il préfère s'adresser à moi en allemand. Il a plus de facilité à s'exprimer dans notre langue maternelle mais, en ce qui me concerne, parler français est devenu aussi naturel que respirer.

– Figchen, pourquoi ne vas-tu pas trouver mère dans sa chambre et lui demander de te dire son secret ? Ne quitte pas la pièce tant qu'elle ne te l'aura pas révélé, même si elle doit se mettre en colère.

J'ai ouvert son livre à la page des verbes et je lui ai tendu une plume. L'espoir illuminait son jeune visage, et je n'ai pas osé lui avouer que mère me fait peur. J'ai l'estomac noué quand elle est furieuse.

Plus tard

Si jamais je deviens impératrice, je ferai proclamer une loi interdisant aux parents de frapper leurs filles et de les torturer avec leur silence. Ma mère a toujours eu un cœur de pierre. Plus j'essaie de la comprendre, plus je suis persuadée que c'est sa soif de pouvoir qui l'a rendue mauvaise.

4 janvier 1744, Zerbst

Tôt ce matin, j'ai rassemblé mon courage et je suis allée frapper à la porte de la chambre de mère. J'ai attendu qu'elle m'invite à entrer pour m'exécuter.

– Je vous en prie, dites-moi ce que contient cette lettre.

Elle était au lit en train de boire sa première tasse de thé. Comme elle était jolie avec ses cheveux bruns dénoués qui lui tombaient sur les épaules ! J'aurais voulu hériter d'un peu de sa beauté. Elle a reposé sa tasse sur le plateau.

– Figchen, a-t-elle répondu, si vous êtes si maligne, répondez vous-même.

Désemparée comme un petit enfant, je suis sortie de sa chambre pour réfléchir. Après le déjeuner, je suis revenue la voir avec une feuille de papier pliée en deux sur laquelle j'avais griffonné neuf mots.

– Qu'y a-t-il encore, Figchen ?

Les rideaux de la chambre étaient tirés. La pâle lumière hivernale éclairait le sol et le fauteuil de velours où elle était assise tandis que sa femme de chambre lui brossait les cheveux.

J'ai déplié le papier et d'un ton ferme, j'ai lu à voix haute :

– *Les signes concordent : Pierre le Troisième sera mon époux.*

Ce n'était qu'une hypothèse audacieuse mais, en levant les yeux vers elle, je me suis aperçue qu'elle avait pâli. Elle a renvoyé sa domestique d'un geste et, quand la porte s'est refermée, elle s'est tournée vers moi.

– Comment êtes-vous au courant ? a-t-elle demandé.

Si je lui avouais que ce n'étaient que des conjectures, elle me traiterait d'idiote. Alors je n'ai rien dit.

Elle s'est tue un moment avant de déclarer avec un soupir exaspéré :

– Très bien. Dans deux jours, vous, votre père et moi-même nous rendrons à Berlin pour rencontrer le roi Frédéric. Il vous jaugera, Figchen. L'honneur et la fortune de notre famille dépendent de votre attitude. Puisque vous n'êtes pas belle, vous devrez faire valoir votre charme et votre intelligence.

J'ai dégluti avec peine.

– Combien de temps serons-nous partis, mère ?

Elle s'est penchée pour prendre mon menton dans sa main.

– Ne répétez à personne ce que je vais vous dire, ni à votre frère ni même à Mademoiselle. Compris ?

J'ai acquiescé. Craignait-elle qu'en apprenant la vérité, les autres me conseillent de fuir et, par là, contrarient ses projets ?

– Si vous obtenez la faveur du roi... Elle insista bien sur le mot « si »... Vous et moi, nous devrons quitter la Prusse en traîneau pour gagner Saint-Pétersbourg où nous rencontrerons l'impératrice Élisabeth. Nous voyagerons sous de faux noms afin que personne n'essaie de vous kidnapper. Elle vous a choisie, vous, ma pauvre fille ingrate, pour être la fiancée de Pierre. À moins que vous ne gâchiez vos chances, vous l'épouserez et, un jour, vous régnerez tous deux sur la Russie. Vingt millions de sujets se prosterneront devant vous, Figchen.

Et, à ces mots, ma mère a souri.

La mise en garde de papa

Les mots de mère m'ont blessée. C'est toujours douloureux de s'entendre dire que l'on n'est pas jolie.

En revanche, sa nouvelle m'a transportée de joie. La Russie ! La lettre du duc ne mentionnait qu'une invitation à rencontrer l'impératrice, et non une demande en mariage officielle, mais ma mère a repris espoir en ce qui concerne l'avenir de notre famille. Elle a toujours voulu faire partie de la « vraie » monarchie.

Elle raconte à tout un chacun que notre voyage n'est rien de plus qu'une visite amicale au roi Frédéric à Berlin, et que nous serons de retour à Zerbst d'ici quelques semaines.

Ce matin, j'étais assise à mon bureau en train d'étudier quand papa est entré. Il s'est appuyé contre le rebord de la fenêtre, s'en servant comme d'un siège. J'ai vu à ses sourcils froncés qu'il était soucieux.

– Qu'y a-t-il, papa ?

Il a poussé un gros soupir, puis son visage s'est radouci et il m'a considérée avec tendresse.

– La Russie est une contrée barbare, ma fille. Si vous déplaisez à l'impératrice, elle vous fera trancher la langue et vous enverra en Sibérie, la région la plus froide et la plus inhospitalière du monde, comme la comtesse Anna Lopoukhina. À l'heure où nous parlons, cette femme endure la faim et des conditions de vie terribles. Jamais plus elle n'ira cancaner.

Mon père a baissé la voix.

– Écoutez-moi attentivement, ma chère petite. Ne cherchez jamais querelle à la famille royale. Ne vous confiez pas à vos femmes de chambre ni à vos dames de compagnie. Et ne vous mêlez pas des affaires d'État si vous ne voulez pas vous attirer les foudres du Sénat. Vous devez faire en sorte de plaire à tous. Et, Figchen, si vous ne devez retenir qu'un conseil, c'est celui-ci : à la cour russe, la moindre de vos paroles pourrait être mal interprétée et utilisée contre vous.

J'ai posé ma plume.

– Que voulez-vous dire ?

Il a regardé au-dehors avant de sortir de la poche de sa redingote un opuscule qu'il a posé sur le rebord de la fenêtre.

– Lisez ceci, c'est important, a-t-il poursuivi en tapotant la couverture de l'ouvrage. L'auteur, un théologien allemand, y dénonce les aberrations de la religion orthodoxe.

– Je vous écoute, papa.

– Figchen, l'impératrice vous obligera à embrasser sa religion, tout comme elle a converti Charles-Pierre. Elle l'a fait baptiser l'année dernière selon le rite orthodoxe, et il est maintenant le grand-duc Pierre Fiodorovitch, héritier de la dynastie Roumanov. Il y a fort à parier qu'elle changera aussi votre nom. Ses croyances sont à des lieues de la simplicité et de l'authenticité de la foi luthérienne.

– Dieu m'accordera sa miséricorde.

Mon père a souri.

– Vous êtes courageuse, ma fille. Si vous finissez par épouser le neveu de cette femme, la vie vous sera extrêmement difficile. L'impératrice est célèbre pour sa cruauté. Et vous resterez sous sa coupe aussi longtemps qu'elle vivra. Vous gâcherez votre jeunesse à attendre, encore et encore. Et, en effet, l'aide de Dieu vous sera nécessaire.

Je me suis levée d'un bond pour embrasser mon père. Sa chemise était imprégnée de l'odeur rassurante du tabac. Il m'a serrée au point de m'écraser, comme pour m'empêcher de partir. Blottie dans ses bras, je me suis demandée à quoi ressemblerait ma vie si loin de chez moi, avec un nouveau nom, une nouvelle langue, dans un environnement étranger.

À cet instant, j'aurais voulu rester sa petite fille éternellement, et ne jamais avoir à quitter la sécurité de son paisible royaume.

Mère a omis de préciser qu'il pourrait s'écouler des dizaines d'années avant que je n'hérite du trône de Russie. Des dizaines d'années.

Zerbst : les préparatifs de départ

En voyant ma malle ouverte, Friedrich s'est jeté dans mes bras.

– Je ne te reverrai plus jamais, s'est-il écrié.

– Mais non, Freddi. Berlin est à quelques jours de voyage seulement, je serai bientôt de retour.

Je déteste mentir à mon petit frère car il est mon plus cher ami. Mais il a appris la vérité d'une façon ou d'une autre, et rien ne peut le consoler.

Mademoiselle elle-même a quitté ma chambre en pleurs ce soir.

Ma malle ne contient aucune parure. Des bas de laine, des chemises de jour, des châles, des corsages blancs, le gilet et le chapeau de couleur vive que je porte les jours de fête, ce journal, et des réserves de plumes et d'encre. J'emporte aussi ma bible allemande. Les versets que j'ai appris par cœur au fil des ans sont soulignés en rouge.

Autant je me sentais brave il y a quelques jours, autant le courage me manque à présent. Toute la correspondance entre l'impératrice et mes parents est passée entre les mains du roi Frédéric. Maintenant il va déterminer si je suis digne d'entrer dans la famille impériale de Russie. Ma gorge se serre à cette pensée.

Ai-je bien entendu mère dire qu'il nous faudrait cinq semaines pour atteindre Saint-Pétersbourg ?

Cinq semaines... en traîneau dans les plaines gelées !

Berlin

Il s'est passé tant de choses ces derniers jours !

Les adieux avec Mademoiselle ont été déchirants. Comme nous avons pleuré, toutes les deux ! Le visage de Freddi s'est décomposé et, soudain, il a éclaté en sanglots avant de sortir en courant du vestibule où l'on avait entassé nos bagages. Ulrike, dans les bras de sa nourrice, n'avait pas conscience du remue-ménage autour d'elle. J'ai embrassé la petite main potelée de ma sœur puis je me suis dirigée vers l'attelage qui m'attendait.

C'était le 10 janvier. Je suis partie sans me retourner.

Le soir : il neige dehors

Je suis installée dans des appartements luxueux au premier étage du palais de Frédéric II de Prusse. Une femme de chambre attend devant ma porte, prête à m'obéir au doigt et à l'œil. Pour la deuxième journée consécutive, je suis confinée ici ; je prends seule mes repas qu'on m'apporte sur un plateau. Le roi m'a fait porter plusieurs messages m'invitant à sa table, mais mère lui répète que je suis souffrante.

Pourquoi ment-elle ?

Parce que je n'ai rien à me mettre !

Maintenant qu'elle a vu les splendeurs de la cour royale, mère a honte de ma garde-robe.

– Il ne peut pas vous voir dans cet état, a-t-elle décrété.

Troisième jour à Berlin

Il a fallu que le roi Frédéric demande à mère si j'étais de constitution fragile ou encore simple d'esprit pour qu'elle cède enfin et lui avoue la vérité.

Les femmes de chambre viennent d'apporter une robe appartenant à la sœur du roi. Elle est si chargée de brocarts, de satin et de pierreries qu'elles n'étaient pas trop de deux pour la porter.

Tandis que j'écris ces mots, une dame relève mes cheveux avec des épingles et une autre vient d'orner mon cou d'un collier de jade ; comme ces pierres sont froides sur ma peau nue ! Une jeune fille est en train de me chausser, c'est la raison pour laquelle mon écriture est si irrégulière. Sans même baisser les yeux, je sens que le cuir souple de mes souliers est de la meilleure qualité qui soit.

Les femmes de chambre s'avancent vers moi avec la robe bleue. Le col et les poignets sont bordés de renard argenté... Quelle merveille !

Mère, qui fait les cent pas dans la pièce, vient de m'ordonner de poser mon journal.

Avant de franchir le vaste palier en haut des marches, en m'efforçant de garder la tête haute autant que possible, il m'a fallu trois heures pour m'habiller. Trois heures ! Dans les escaliers, mère marchait derrière moi, enfonçant de temps à autre son doigt dans mon dos afin que je me tienne bien droite. Difficile d'observer un bon maintien avec cette robe qui pesait sur mes épaules.

Un homme grand, élégamment vêtu, nous a conduites dans l'antichambre de la reine. Il portait des bas blancs et une culotte de velours bleu resserrée aux genoux ainsi que des souliers noirs à talon haut qui résonnaient sur le parquet du couloir.

À ma grande surprise, tous ceux que nous croisions — femmes de chambre, messagers, serviteurs — s'inclinaient sur notre passage. J'ai reconnu le duc Ferdinand de Brunswick car il rend souvent visite à mes parents. Il a salué très bas, en murmurant « Votre Majesté », et c'est alors seulement que j'ai compris : l'homme qui nous escortait n'était autre que le roi !

Soudain, je me suis sentie trop nerveuse pour parler.

Le roi est un homme de haute taille, d'une dignité imposante. Il portait une perruque poudrée avec des anglaises qui lui tombaient sur les épaules. Quand il s'est penché pour me baiser la main, je me suis aperçue que ses cheveux grouillaient de vermine. Je sentais l'odeur épicée de sa pommade.

Je reprendrai mon récit plus tard quand j'aurai mis la main sur une autre chandelle...

Suite...

Au dîner, toujours à ma stupéfaction, on m'a fait asseoir juste à côté du roi. Papa, installé plus loin, présidait sa table, et j'ai aperçu mère assise à l'écart avec des dames en perruque. À son air pincé, j'ai compris qu'elle était furieuse de ne pas faire partie de l'entourage royal.

Tout au long du dîner, le roi Frédéric m'a posé d'innombrables questions sur presque tous les sujets : la poésie, l'opéra, la danse, le théâtre et en particulier cette pièce de Molière, *Le Bourgeois gentilhomme* (par chance, je l'ai lue avec Mademoiselle récemment !). Au début, j'étais trop intimidée pour répondre avec franchise et je ne comprenais pas pourquoi le roi s'intéressait à mon point de vue, mais il semblait sincèrement désireux de le connaître. Quand on a apporté le second plat de viande à table, je me sentais à l'aise.

Bientôt nous bavardions comme de vieux amis.

À nouveau, j'ai levé les yeux vers ma mère. Elle et ses compagnons de table m'observaient bouche bée, comme s'ils n'arrivaient pas à concevoir que le roi de Prusse et une jeune fille de quatorze ans aient quelque chose à se dire.

Le dîner a duré encore plus longtemps que l'habillage : quatre heures !

Maintenant que je suis en chemise de nuit, les événements de cette soirée commencent à se dissiper. Au dessert, Sa Majesté m'a révélé un secret — à nouveau, j'ai senti l'odeur de sa pommade et vu la vermine sur sa tête — : dans quelques jours, il me renverra à Stettin.

Mais mon attelage n'entrera pas dans la ville. Pour induire les Berlinois en erreur, nous nous contenterons de déposer mon père ; ensuite, mère et moi, nous ferons route vers l'est.

Vers la Russie.

P.-S. : Demain, je dois rendre la belle robe et les chaussures. Cela me rappelle l'histoire que Mademoiselle m'a lue en français au sujet d'une jeune fille, Cendrillon, qui fut belle jusqu'aux douze coups de minuit ; alors son attelage se transforma en citrouille et sa robe, en haillons.

Cher journal, ce soir, en contemplant mon reflet, je n'ai pas vu le vilain petit canard. Pour la première fois, le miroir m'a renvoyé l'image d'une princesse presque jolie.

Mère et moi faisons halte dans un petit relais de poste misérable envahi par la fumée provenant du foyer de la cuisine. Ce n'est même pas une auberge. Mère s'est installée sur un lit de fortune et m'a autorisée à écrire jusqu'à ce que la chandelle soit consumée.

Oh, cher journal, je croyais que laisser mon petit frère et Mademoiselle était l'épreuve la plus difficile qu'il m'ait été donné de vivre, mais je me trompais. Il y a quelques jours, sur la route en direction du nord qui nous éloignait de Berlin, notre attelage s'est arrêté dans le village de Schwedt qui se trouve au sud de Stettin, sur l'Oder. Nous sommes restés là quelques minutes, le temps que mon père descende dans la neige avec son bagage. Un cocher et un traîneau l'attendaient pour le ramener au château.

Je me suis penchée pour l'enlacer et j'ai commencé à pleurer. Il m'a serrée fort contre lui.

– Figchen, m'a-t-il glissé à l'oreille, je vous aimerai toujours. N'oubliez pas de lire votre bible, n'oubliez pas la foi luthérienne.

– Je vous le promets, papa.

Je sentais encore ses larmes sur ma joue lorsque notre cocher a quitté le village pour s'enfoncer dans la campagne.

Il fait froid dans cette pièce, il n'y a pas de feu. En bas des escaliers, une taverne. Les gros rires des hommes qui ont bu toute la soirée nous parviennent à travers les fissures du plancher. Je ne sais pas comment mère arrive à dormir. Elle s'est couvert la tête avec son oreiller. Je me garderai bien de le lui dire, mais d'ici je vois de minuscules insectes blancs ramper sur son drap.

Bien que nous voyagions depuis des jours, c'est la première fois que nous dormons dans un lit. Notre équipage a roulé de nuit, ne s'arrêtant que pour changer de chevaux et nous laisser, nous les dames, nous rafraîchir chez un fermier. Comme la route se trouve au milieu de nulle part, aucune ville n'éclaire l'horizon. Le ciel est le plus noir que j'aie jamais vu, à peine moucheté d'étoiles scintillantes. Il n'y a guère que cette lumière pour guider nos cochers.

Notre convoi se compose de quatre voitures tirées par vingt-quatre chevaux. Le chambellan de mère, sa dame de compagnie, quatre femmes de chambre, un valet, un cuisinier et plusieurs laquais nous accompagnent.

Le nom d'emprunt de mère est comtesse Reinbeck. L'aspect incognito de notre visite lui plaît beaucoup, c'est la seule chose qui lui permet de supporter les épreuves du voyage. Mon nom est tellement secret qu'elle refuse de me le divulguer !

Voilà que les hommes en bas se mettent à chanter. Hélas, ma chandelle...

Quelque part sur la route

Aussi loin que se porte mon regard, le paysage est un désert blanc : pas de montagnes, pas de collines ni de villes. J'ai perdu la notion du temps et mère pense que je ferais aussi bien de ne pas m'en occuper. Apparemment, une fois en Russie, nous passerons du calendrier grégorien au calendrier julien, et nous serons donc onze jours derrière l'Europe. Il faut peut-être y voir un symbole, je n'en sais rien.

Il fait un froid mordant. Mère et moi sommes emmitouflées dans des fourrures où nous enfouissons le visage pour nous protéger du vent. Bien que notre attelage soit couvert, des courants d'air pénètrent par les interstices de la porte et des fenêtres. Un petit poêle à charbon nous chauffe les pieds mais la chaleur se dissipe au bout d'une heure à peine et il faut le remplir à chaque halte.

Il est temps que je repose ma plume. Quelle frustration de devoir écrire dans une voiture bringuebalante ! Mon encre s'est renversée !

Un autre matin

J'écris à la hâte pendant que les cochers attellent les chevaux.

La nuit dernière, nous avons dormi à même le sol dans la propre chambre de l'aubergiste. Il y avait tellement de raffut que je n'ai pas pu fermer l'œil, mais cette fois, il ne s'agissait ni de chants ni d'hommes ivres. Le maître de maison et sa femme ronflaient tous les deux ! Plusieurs enfants dormaient dans leur lit, parmi lesquels un bébé qui a pleuré par intermittences aux premières heures de l'aube. À la lueur du feu, je distinguais les ombres de chats — deux, trois, quatre peut-être ? — qui traînaient autour de nous. Le chien de garde du foyer dormait devant la porte. Juste au moment où je commençais à somnoler, il s'est levé d'un bond en poussant des aboiements féroces puis s'est mis à grogner comme si quelqu'un rôdait dehors. J'ai cru que le jour ne viendrait jamais.

Ce matin les domestiques de mère sont d'humeur joyeuse et ils ont l'air bien reposés. Ils ont dormi dans l'étable au milieu des animaux avec le foin pour seul lit. Et mère qui croyait que ce serait eux les mal lotis ! La prochaine fois, je demanderai la permission de me joindre à eux, qu'il fasse froid ou non.

La maîtresse de maison m'a offert le petit déjeuner, un peu de pain d'orge et une tasse de thé fumant. Comme c'est gentil de sa part ! Je dois reposer mon journal jusqu'à ce que les cahots diminuent.

Courlande

Ce relais de poste est aussi incommode que les précédents. En ce moment, je suis assise sur un tabouret devant le foyer et dispose seulement de quelques minutes pour écrire avant que notre équipage remonte en voiture.

Hier soir, une comète a illuminé notre route. À la différence des étoiles filantes, elle est restée perchée quelques instants dans le ciel, près de la terre, comme un oiseau déployant sa longue queue blanche. Au cours de la nuit — une fois de plus, je n'arrivais pas à dormir—, je me suis levée plusieurs fois dans la pièce glaciale pour suivre sa progression par la fenêtre. Mais la comète se déplaçait comme les constellations, centimètre par centimètre, heure par heure. Les villageois prétendent qu'elle campe au-dessus de l'horizon depuis des jours et beaucoup d'entre eux sont terrifiés, ils pensent que c'est un mauvais présage.

De nouveau sur la route

Ce matin, nos attelages ont repris la route après s'être arrêtés pour la nuit à Mitau, une ville pittoresque où nous avons déniché une auberge sans vermine. Bien que mère et moi ayons dû partager le même lit de fortune, nous avons dormi d'un sommeil lourd et nous nous sommes réveillées de bonne humeur.

Un militaire russe nous attendait. Le colonel Voejkov est chargé de nous accompagner à Riga et, en ce moment, il est assis à côté de mère dans notre voiture. Il a une moustache épaisse et des joues rubicondes. C'est probablement l'un des hommes les plus patients qu'il m'ait été donné de rencontrer car, depuis trois heures, il écoute les doléances de mère : nous n'avons pas trouvé de relais de poste entre Memel et Mitau, elle a mal au dos à force de dormir par terre, la nourriture infecte lui donne des gaz, et ainsi de suite.

De temps à autre, le colonel Voejkov me regarde en souriant, l'air de dire qu'il comprend les femmes comme ma mère et ne me tient pas rigueur de sa mauvaise humeur. Du moins, j'espère que c'est ce qu'il pense, car il n'y a pas de mots pour décrire mon embarras.

J'ai encore renversé de l'encre partout ! Heureusement, mère est trop occupée à se plaindre pour remarquer les taches sur ma jupe. Le colonel raconte qu'une fois à Riga, nous nous rendrons dans un château où j'aurai mon propre lit.

– Et d'autres surprises vous y attendent, m'a-t-il glissé à l'oreille en français tandis que nous montions en voiture.

À vrai dire, je suis trop fatiguée pour m'enthousiasmer. Ces semaines interminables sur la route sont épuisantes et monotones. En guise de bain, nous n'avons eu droit qu'à un peu d'eau gelée pour nous laver le visage, et nous n'avons pas eu le temps de faire nettoyer notre linge. Si j'entends encore ma mère se plaindre que la soupe n'est pas assez riche, je vais hurler.

Tout en regardant par la vitre les immenses plaines ensevelies sous la neige, je pense à mon frère Friedrich et à notre petite sœur Ulrike.

Est-ce que je leur manque autant qu'ils me manquent ?

Mère pense-t-elle, ne serait-ce qu'une seconde, à ses autres enfants ?

Russie !
Fin janvier 1744

Enfin ! Nous sommes à Riga, au bord de la mer Baltique. J'écris sur un bureau, dans la bibliothèque du château, près d'une fenêtre qui donne sur la baie gelée. Des voiliers et des bateaux de pêche sont amarrés dans le port, mais vus d'ici ils semblent pris dans la glace. Une servante m'a expliqué que la bande de terre située de l'autre côté de la baie est la Suède, mais qu'on ne peut pas la voir.

Le colonel Voejkov n'a pas menti au sujet des surprises. Dans la voiture, mère et moi, nous avons été tirées de notre sommeil paisible par un coup de canon, un cadeau de bienvenue ! Les citadins ont traversé la rivière Dvina pour nous accueillir ; parmi eux se trouvaient le vice-gouverneur et un grand maréchal de la cour aux noms imprononçables que je serais bien en peine d'épeler tant les présentations ont été brèves. Ils nous ont offert des cadeaux de la part de l'impératrice Élisabeth : de longs manteaux de zibeline appelés pelisses ainsi que des étoles, des capuchons de fourrure qui retombent sur les épaules telles de longues écharpes. Ce sont les fourrures les plus belles et les plus chaudes que j'aie jamais portées !

Mère et moi avons droit à nos propres appartements et à une nouvelle garde-robe (qu'il nous faudra rendre) le temps qu'on lave nos vieux vêtements. Dans un miroir au-dessus de la cheminée, j'ai étudié mon reflet et la couleur de mes joues m'a enchantée. Je ne me trouve plus aussi laide qu'il y a quelques mois.

Une domestique vient d'apporter des draps propres... Je reprendrai mon récit plus tard.

Avant le coucher

C'est notre deuxième jour à Riga. Après s'être lavées et avoir enfilé des vêtements propres, mère et moi nous sommes fait conduire au grand salon. Nous avons été accueillies par des trompettes et des nobles qui s'inclinaient devant nous ! La surprise m'a coupé le souffle et, à en croire son visage rouge de plaisir, mère était aux anges.

– Il était temps, a-t-elle murmuré quand on nous a fait asseoir pour dîner.

La table était chargée d'argenterie et de toutes sortes de plats que je n'avais jamais vus auparavant. Des musiciens élégamment vêtus jouaient du tambour, de la flûte et du cor en notre honneur.

Autour de nous, j'entendais parler français et allemand, et pourtant nous sommes en Russie. J'ai la tête qui tourne après tout le luxe de cette soirée. Il y a quelques instants, une femme de chambre m'a apporté une chemise de nuit en lin bordée de dentelle et de chaudes pantoufles fourrées de lapin. Elle m'a accordé cinq minutes de plus pour finir mon récit car il se fait tard et je dois dormir.

Demain nous partons pour Saint-Pétersbourg où l'impératrice nous attend.

Cette pensée me rend nerveuse. C'est la femme la plus puissante de ce pays, elle peut faire ce que bon lui semble, quand elle veut, à n'importe qui. Et si les villageois avaient raison, si la comète que nous avons vue était vraiment un mauvais signe ?

Dans le traîneau royal

Il nous faudra bien des jours avant d'atteindre Saint-Pétersbourg. De quel confort nous disposons, mère et moi, pour ce voyage !

Ce traîneau est magnifique ! Il nous attendait à Riga grâce aux bons soins de l'impératrice Élisabeth. Grâce à elle, encore une fois, nous avons bien chaud dans nos pelisses et nos étoles. Des tentures pourpres ornées d'un liséré d'argent nous protègent du vent, et nous reposons sur un lit de plumes moelleux. Nos coussins sont recouverts de fourrure et de satin.

J'entends tinter les clochettes des chevaux tandis que nous progressons sur la piste enneigée. Notre traîneau glisse sur la route si bien que je peux écrire dans mon journal sans renverser la moindre goutte d'encre. Tout ce luxe fourni par l'impératrice me rassure, même s'il se peut encore qu'elle me trouve des tares et nous renvoie chez nous.

Mère me fait passer un panier de pique-nique qui contient notre déjeuner...

Après le repas

Cher journal, je dois recenser dans ces pages tous les gens de notre convoi.

Un escadron de soldats protégés du froid par leur veste de cuir chevauche devant nous : on les appelle des cuirassiers. À dos de cheval encore, des officiers royaux ainsi que deux grenadiers spécialisés dans le maniement des armes protègent l'arrière et les côtés de notre traîneau.

Dans les autres attelages se trouvent trois cuisiniers, huit laquais, un majordome et un palefrenier. Mère dispose également d'un serviteur chargé de préparer le café et d'un sommelier flanqué de son aide. Deux hommes – des fourreurs – ont pour seule fonction d'entretenir nos fourrures.

Monsieur Naryshkine, le grand maréchal, qui a épelé son nom à mon intention, voyage dans notre traîneau. Il a été ambassadeur à Londres. Son français est difficile à comprendre à cause de son accent russe très prononcé.

Je jette un œil du côté de mère qui repose parmi ses coussins et je lis la satisfaction sur son visage. En m'entendant dire que papa me manquait et que j'aurais voulu l'avoir à mes côtés, elle a levé les yeux au ciel en riant.

– Est-ce qu'il vous manque, à vous aussi ? ai-je demandé.

Elle a écarté une des tentures pour laisser entrer la lumière éclatante du soleil, révélant un paysage de plaines battues par le vent. Elle est restée à regarder dehors pendant un long moment, puis elle a tiré le rideau sans me répondre.

Je suis prête à parier que ce périple signifie beaucoup plus pour ma mère que pour moi. Elle s'est plainte pendant si longtemps de la pauvreté de papa et de son extraction modeste ! Toute sa vie, elle a recherché le faste, la richesse et la notoriété.

Mon petit doigt me dit qu'elle connaîtra une grande déception. Je ne peux deviner laquelle mais je m'inquiète d'avance pour elle.

Dorpat, Russie

Notre convoi vient juste de traverser ce village misérable. J'utilise l'adjectif *misérable* car autrefois Dorpat était l'une des plus grandes villes livoniennes. Il n'en reste pour la majeure partie que des murs délabrés ou brûlés par les canons de Pierre le Grand à l'époque de ses grandes conquêtes.

Cette anecdote m'a été racontée par monsieur Naryshkine. Il a ajouté que Pierre le Grand était monté sur le trône dès l'âge de dix ans avec son demi-frère aîné, Ivan.

– Ivan était un simple d'esprit.

D'une façon ou d'une autre, le frère de Pierre le Grand a été écarté du pouvoir et, plus tard, je questionnerai monsieur Naryshkine à ce sujet. J'écoute ces leçons d'histoire avec attention afin d'en apprendre autant que possible au cas où l'impératrice Élisabeth s'enquerrait de mon intérêt pour son pays.

Mais un événement survenu aujourd'hui m'a un peu dégrisée.

Plus tôt dans la journée, nous avons croisé plusieurs traîneaux escortés par des soldats, qui venaient de la direction opposée. Des rideaux noirs nous masquaient leurs occupants. Lorsque j'ai demandé au maréchal qui se trouvait à l'intérieur, il a secoué la tête.

En prenant soin d'éviter mon regard, il a répondu qu'il s'agissait sans doute du duc de Brunswick et de sa famille. L'impératrice Élisabeth les a chassés de la cour et condamnés à la prison.

– Ma chère, a-t-il poursuivi, votre présence, à l'aube d'un avenir royal, sur la même route — à ce mot, monsieur Naryshkine a écarté la tenture pourpre pour désigner le paysage au-dehors — qu'une famille tombée en disgrâce, n'est due qu'à un caprice du hasard.

Ses paroles m'ont donné la nausée. Je me suis souvenue de papa et de sa description de la comtesse exilée en Sibérie après s'être fait trancher la langue.

Un caprice du hasard.

L'impératrice pourrait aussi se débarrasser de moi.

4 février 1744
Calendrier julien
Saint-Pétersbourg

Saint-Pétersbourg, enfin !

Comme c'était bon, hier, de descendre du traîneau, de poser les pieds sur cette terre qui sera bientôt mienne ! Après quarante jours de voyage, j'étais aux anges d'avoir enfin atteint notre destination. Je me suis penchée pour baiser le sol enneigé, mais mère m'a agrippée par le bras afin que je me redresse.

– Tenez-vous bien, Figchen, a-t-elle dit dans un souffle.

Quelle ville splendide, scintillant sous le soleil éclatant, avec ses rues pleines de gens venus célébrer le carnaval d'hiver ! Elle tient son nom de l'apôtre Pierre qui a marché aux côtés du Christ.

Des coups de canons ont été tirés en notre honneur de l'autre côté du fleuve, depuis la forteresse Pierre-et-Paul. Ce fleuve, la Neva, est entièrement gelé : des enfants font des glissades sur la glace. Oh, j'aurais tant aimé les rejoindre !

Comme on nous menait à nos appartements, un diplomate nous a informées que l'impératrice et le grand-duc se trouvent à Moscou, à plus de soixante-dix kilomètres au sud.

Pour être franche, j'étais plutôt soulagée de ce contretemps ; mère, quant à elle, était furieuse qu'ils ne soient pas là pour nous accueillir.

– Après tout ce que nous avons traversé ! s'est-elle lamentée.

Mais elle s'est rapidement calmée en voyant le nombre de femmes de chambre et de dames de compagnie qu'on avait mises à notre service. Des robes magnifiques nous attendaient, ainsi que des sous-vêtements propres, des souliers et des bas. J'ai quatre dames à ma disposition ! Après sa toilette, mère était de bien meilleure humeur. Elle a décrété que nous devions nous aussi partir pour Moscou et arriver là-bas le 10 février au plus tard.

Pour quelle raison ? Parce que c'est l'anniversaire du grand-duc. Il va avoir seize ans.

– Sur le plan politique, ce serait diablement rusé, m'a-t-elle dit en fouillant dans une petite boîte à bijoux. Ainsi nous montrerons à Sa Majesté impériale que vous êtes déjà dévouée corps et âme au grand-duc, votre futur fiancé. Elle sera charmée par votre obéissance, Figchen.

Hélas, demain, nous devrons reprendre la route. Je suis lasse de voyager, cher journal. Comment pourrai-je faire bonne impression à l'impératrice si j'ai l'air aussi épuisée que je le suis en réalité ?

Au sujet du dîner d'hier soir

Avant que j'oublie... Je n'avais jamais vu d'éléphant auparavant et, hier soir, j'en ai vu quatorze ! Ce sont des cadeaux du roi de Perse à l'impératrice Élisabeth ; ils ont exécuté des numéros devant nous pendant le dîner. Il y avait aussi des ours qui dansaient.

Cher journal, à toi, je peux le dire mais à personne d'autre : ce spectacle m'a fait de la peine. Je ne crois pas que Dieu ait créé ces animaux magnifiques pour qu'ils se dandinent dans des costumes ridicules. Les éléphants portaient une cape en satin sur le dos, un minuscule chapeau assorti accroché à leur énorme tête, et des bracelets ornés de clochettes aux pattes. Quant aux ours, ils arboraient un jupon de ballerine en dentelle et un petit bonnet !

Les nobles et les officiels chargés de nous accueillir étaient fiers de ce divertissement, alors j'ai souri sans rien dire. À partir de maintenant, je dois prendre garde de ne blesser personne, quels que soient mes sentiments.

Plus tard

J'ai hâte de revoir Pierre, mon futur époux potentiel ! Notre dernière rencontre, dans ce château au bord de la mer, remonte à près de cinq ans... Est-ce qu'il a grandi, forci ? Est-il beau ? J'espère qu'il partage mon impatience.

9 février 1744, Moscou

Je dispose de quelques instants pour écrire avant le dîner.

Nous sommes arrivées à Moscou ce soir. Il faisait déjà nuit quand notre traîneau s'est arrêté devant le palais Annenhof aux environs de huit heures. Des torches éclairaient la cour ensevelie sous la neige, où des serviteurs en livrée nous attendaient, immobiles.

Notre voyage depuis Saint-Pétersbourg a duré deux jours entiers. Nous avons même voyagé de nuit. Le rythme était épuisant. Mère et moi reposions sur des coussins avec un poêle à charbon pour nous réchauffer les pieds, un luxe comparé à ce que devaient endurer les grenadiers à dos de cheval. Je ne peux qu'imaginer ce que c'était pour eux d'être exposés au vent glacé avec les étoiles pour seuls guides.

Les chevaux souffraient, eux aussi. Au moins trois d'entre eux sont tombés raides morts dans leur harnais. Les cochers les traînaient sur le bas côté gelé puis continuaient leur route jusqu'au prochain hameau. Pendant qu'on changeait les attelages, les paysans se rassemblaient autour de nous. En me voyant descendre pour me rafraîchir, l'un d'eux a dit à son voisin :

– C'est la fiancée du grand-duc.

Certains s'approchaient même pour toucher mes fourrures.

Comment auraient-ils pu ne pas deviner ? Trente traîneaux composaient notre convoi, et pas moins de seize chevaux tiraient notre traîneau. J'ai souri à chaque personne dont je croisais le regard. S'ils doivent devenir mes sujets, je veux qu'ils m'aiment.

Hélas, tout en écrivant ces lignes, j'ai l'estomac noué par l'anxiété. Nous devons rencontrer l'impératrice d'un instant à l'autre ! Et Pierre.

J'espère que ma robe me va bien. Elle est d'un rose moiré ; le tissu, de la soie, lui donne un aspect délavé. Elle retombe en plis gracieux sur le sol et m'enserre la taille. Heureusement, je ne porte pas de cerceaux en dessous ! Avec ce genre d'accessoire, s'asseoir sur une chaise devient une opération délicate ! Parmi les bijoux que m'a offerts une dame de compagnie, j'ai choisi un collier serti d'un unique rubis.

Ce n'est pas le moment de s'occuper de ces détails ! J'entends des pas dans le vestibule...

Minuit

Le souper s'est achevé il y a un quart d'heure à peine... Mère est allongée sur son lit avec une serviette humide sur les yeux, trop harassée par les événements de la soirée pour bavarder. Elle m'a dit que je pouvais écrire jusque tard dans la nuit si je le voulais.

Pour commencer, maintenant que j'ai enfin vu Pierre, il va m'être difficile de l'appeler grand-duc. Ce n'est qu'un freluquet ! Quand il est venu nous souhaiter la bienvenue dans nos appartements, j'ai senti ma poitrine se serrer. J'avais envie de pleurer de déception. Il est pâle avec la peau grasse et de petits boutons sur le front, et il a la voix haut perchée d'une fille.

Dans ma tête, je m'étais imaginé qu'il avait mûri au fil des ans. Je m'aperçois maintenant que j'avais espéré trouver un jeune prince fringant, comme celui qu'a rencontré Cendrillon avant que son carrosse ne se transforme en citrouille.

Mais ce prince-ci est loin d'être un homme. Il semblait ravi de nous voir, allant même jusqu'à nous serrer chaleureusement dans ses bras, mais très vite, il s'est plaint de tout ce qui était russe, la langue, la religion, les précepteurs, le temps, et même sa tante l'impératrice. Comme il hait les popes ! J'ai trouvé ses bavardages inquiétants. S'il n'y prête pas garde, il pourrait lui aussi être exilé en Sibérie et m'entraîner dans sa chute.

Dois-je vraiment épouser un homme aussi peu discret ?

Il est maintenant une heure du matin. Mère s'est endormie tout habillée sur son lit sans défaire les draps. Elle avait tellement mal à la tête qu'elle n'a pas laissé ses domestiques la déshabiller. Je lui ai enlevé ses chaussures et je l'ai couverte avec un édredon de plumes pour qu'elle n'attrape pas froid.

Ma chandelle est consumée... Il faut que j'en allume une autre...

Pour en revenir à la soirée d'hier

Pierre est venu nous chercher dans nos appartements pour nous mener devant l'impératrice. Il a offert son bras à mère et je les ai suivis, escortée par le prince de Hesse.

Dans la galerie, de grandes portes se sont ouvertes pour laisser entrer Sa Majesté impériale. Mon cœur battait à tout rompre et j'avais la bouche sèche.

Elle est entrée dans un bruissement de soie, vêtue d'une robe argentée ornée de dentelles dorées, les vastes pans de sa jupe maintenue par un cerceau déployés autour d'elle. Elle s'est adressée à moi en français, le sourire aux lèvres, et j'ai été frappée par sa beauté. C'est une femme robuste avec un menton charnu et une poitrine imposante. Ses mèches noires étaient relevées avec des peignes d'argent sertis de diamants qui étincelaient dans sa chevelure. Elle portait derrière l'oreille une longue plume noire qui avait dû appartenir à un corbeau.

Oh, comme je brûlais de l'observer, il y avait tant de détails intéressants dans son allure ! (Je crois qu'elle se teint les sourcils, d'après les petites traînées noires au coin de ses yeux.)

Plus tôt dans la soirée, les dames qui nous ont aidées à nous préparer nous ont confié que l'impératrice possède cinq mille paires de chaussures et quinze mille robes qu'elle ne porte jamais plus d'une fois. Elle a aussi plus de chapeaux, de plumes et de gants qu'on ne pourrait en compter. Elle admire tellement la cour de Louis XIV à Versailles qu'elle ne tolère que des tailleurs venus de Paris.

Au cours de l'entrevue, mère s'est inclinée, a remercié l'impératrice pour ses bontés et ainsi de suite. Moi aussi, j'ai fait la révérence à la manière française, le buste incliné, les genoux fléchis (qui tremblaient). J'étais aussi intimidée qu'avec le roi Frédéric. D'abord, je me suis contentée de répondre à ses questions d'une voix presque inaudible « oui », « non », « merci, Madame ».

Tout autour de nous, alignés le long des couloirs et des pièces, des nobles, des pages, des diplomates, des courtisans, des dames et des gentilshommes d'atour, un médecin, tous vêtus comme des rois avec de la soie, du satin, et des bijoux tels que je n'en avais jamais vus. J'avais l'impression que tous les regards étaient braqués sur moi. C'est donc elle, la future épouse du roi ? semblaient-ils penser.

L'impératrice Élisabeth, passant du français à l'allemand, nous a parlé longuement en posant souvent les yeux sur moi. Je n'arrivais pas à deviner ses pensées mais je savais qu'elle étudiait mes faits et gestes. L'idée que mon futur est entre ses mains me terrifie.

Enfin, elle nous a congédiées sous prétexte que notre voyage nous avait épuisés. Et, en effet, cher journal, mes yeux pleuraient de fatigue ! Mon dos me faisait souffrir à force d'essayer de me tenir bien droite pendant deux heures consécutives : en effet, l'impératrice ne nous avait pas invitées à nous asseoir.

Pierre nous a suivies dans nos appartements où l'on nous a apporté un souper tardif. J'étais si éreintée que je ne me souviens pas de ce que j'ai mangé. La pièce était remplie de courtisans dont les noms et les visages me reviennent maintenant à travers un brouillard. Leurs voix m'évoquaient celles d'automates et le sens de leurs paroles m'échappait. Je me rappelle trois nains, de petits hommes en habit de velours, qui selon toute apparence étaient des serviteurs. Leurs pieds étaient minuscules, comme ceux d'un enfant.

Enfin, ma première journée s'achève et les présentations sont terminées. J'en pleurerais presque de soulagement.

10 février 1744, Moscou

Ce matin, on nous a apporté le petit déjeuner sur des plateaux d'argent. À ma grande joie, j'ai eu droit à un bol de café au lait, à la française, exactement comme Mademoiselle me le préparait. L'arôme familier me rappelle à quel point elle me manque. Je me suis jetée comme une affamée sur le pain noir et l'œuf dur. Après tous ces jours de voyage, j'ai enfin retrouvé l'appétit.

Aujourd'hui nous célébrons les seize ans du grand-duc. Une fête est prévue ce soir, aussi mère et moi disposons de la journée pour nous reposer et passer du temps ensemble.

C'est aussi le premier jour du carême. Les luthériens fêtent ce jour saint avec beaucoup moins de cérémonie que les orthodoxes. À l'avenir, je me conformerai de bonne grâce à ce qu'on attend de moi.

Avant le coucher

Hé bien, Pierre a peut-être seize ans aujourd'hui, mais ce n'est qu'un enfant. Il possède encore plus de soldats de plomb que lors de notre première rencontre, il y a tant d'années. Je le sais car il m'a montré ses appartements ; sur une étagère, les soldats sont alignés en fonction du grade qu'il leur a attribué. Il y a aussi une cage avec un énorme rat gris à l'intérieur.

Pierre a fait les présentations :

– Le général Fitzroy.

Le rongeur portait une petite veste rouge et un harnais afin que Pierre puisse l'attacher à une laisse pour « l'inspection des troupes ».

Je suis restée polie malgré ma conviction que le grand-duc a perdu la tête. J'ai du mal à m'imaginer mariée à un tel homme… Exigera-t-il que je joue avec le général Fitzroy ?

Mais je dois avant tout aller me coucher…

Les dames au portrait

Le meilleur moment de la journée était une cérémonie célébrée dans une des grandes salles du palais. L'impératrice est venue à notre rencontre, l'air solennel.

Elle a noué autour de notre cou le ruban de l'ordre de Sainte-Catherine, un ruban de satin bleu qui mesure au moins trois pouces de large.

Ensuite, deux de ses « dames au portrait » ont épinglé une médaille en forme d'étoile sur notre robe, au niveau de l'épaule. Je n'ai encore qu'une idée vague de ce que cela signifie mais je me suis détendue en voyant l'impératrice nous sourire. Apparemment, elle nous a acceptées dans son cercle.

J'ai appris que les dames au portrait sont ainsi appelées parce que l'impératrice leur a accordé le privilège d'arborer un portrait miniature de Sa Majesté serti de diamants, du même genre que celui envoyé à mère à la naissance de ma petite sœur Ulrike.

Les dames ont la permission de l'épingler à leur robe d'apparat pour signifier leur lien particulier avec la famille impériale. Je me demande si mère a emporté le sien et s'il serait approprié qu'elle le porte en pareille circonstance. J'ai tant à apprendre en ce qui concerne le protocole ! Je ne veux pas risquer un faux pas.

P.-S. : La robe que portait l'impératrice aujourd'hui était marron, de la couleur du chocolat au lait, et brodée d'argent. Elle portait autour du cou de nombreux colliers mais je n'arrivais pas à voir en quoi ils étaient. Je mourais d'envie d'examiner sa somptueuse tenue, surtout depuis que j'ai appris que c'était la première et la dernière fois que je la voyais.

Plus tard, deux des chambellans de l'impératrice nous ont révélé un secret à son sujet. Le voici : quand elle perd son sang-froid, elle frappe ses dames de compagnie et ses serviteurs. Quand elle a bu trop de vin, elle tourne de l'œil et ils doivent trancher les attaches de son corset et de sa robe afin qu'elle puisse vomir. C'est peut-être la raison pour laquelle elle ne porte jamais ses robes plus d'une fois.

La mise en garde de papa me préoccupe : il m'a dit que la vie avec Sa Majesté impériale serait extrêmement difficile. Cela signifie-t-il qu'elle me battra, moi aussi, si je ne la satisfais pas ? Et Pierre ? Le corrigera-t-elle quand elle apprendra que les seuls soldats dont il se soucie sont en plomb et que le général Fitzroy est un rat ?

13 février 1744, Moscou

Cette cour renferme tant de secrets ! Ce matin, Pierre m'en a murmuré un qui m'a laissée sans voix.

Il est amoureux !

Mais pas de moi, non, il s'agit d'une dame de compagnie de l'impératrice.

Quelle formidable nouvelle, aurais-je voulu m'exclamer. Je me réjouis pour vous, mon cousin. Mais je me suis contentée de le dévisager, bouche bée.

Lorsqu'il m'a révélé le nom de la mère de cette jeune fille, j'ai cru m'évanouir.

C'est la comtesse Anna Lopoukhina.

– Malheureusement, la comtesse a été accusée de comploter contre le trône et ma tante l'a exilée en Sibérie. Ils lui ont sorti la langue avec une pince et l'ont tranchée.

En entendant son récit, qui m'a rappelé à quel point l'impératrice pouvait se montrer cruelle, j'ai tressailli.

Pierre a regardé par la fenêtre.

– Sa fille a été bannie, elle aussi. Alors je dois vous épouser, Figchen. C'est la volonté de l'impératrice.

Sa froideur m'a désemparée. Oh, cher journal, c'est ce garçon qui deviendra mon époux !

Hier après-midi, quand j'ai raconté à mère cette conversation et que je lui ai parlé de ma tristesse, elle m'a prise par le coude et m'a poussée vers la fenêtre.

Dehors, il neigeait, de gros flocons se précipitaient contre la façade du palais. D'élégants traîneaux allaient et venaient dans la cour royale. Il régnait une atmosphère festive parmi les femmes emmitouflées dans de longues fourrures et les hommes avec leurs grandes toques.

– Tu ne peux plus reculer maintenant, Figchen, a dit mère. Nous avons parcouru trop de chemin.

Je savais qu'elle ne faisait pas seulement allusion à la distance et à la durée du voyage — cinquante jours au total, de Zerbst à Moscou en passant par Saint-Pétersbourg. J'ai scruté son visage, dans l'espoir d'y trouver la bonne réponse, mais je suis restée à court de mots. Les larmes me sont montées aux yeux, je ne sais pas trop pourquoi : tant d'émotions se bousculaient en moi.

Insensible à ma détresse, mère a poursuivi en choisissant bien ses mots, d'une voix si basse que je l'entendais à peine.

– C'est une affaire de politique, ma chère, et non une histoire d'amour. Si vous montrez le moindre signe d'abattement ici, je vous tordrai le cou.

J'ai répondu par une révérence avant de me retirer en me massant le bras à l'endroit où elle l'avait agrippé. J'essaierai de toutes mes forces d'aimer le grand-duc de Russie même s'il semble se soucier de moi comme d'une guigne.

Fin février 1744, Moscou

Le russe est une langue difficile à apprendre ! Leur alphabet est différent du nôtre : on dirait que les lettres ont été tracées à l'envers, de biais, le P ressemble à un R, et le C à un S. Mais je m'applique à chaque seconde, tous les jours.

J'essaie de discuter avec les domestiques, un mot par ici, une expression par là. Certains me répondent en français quand ils me voient lutter mais j'insiste, je veux apprendre. Je suis sûre que mon accent est horrible.

Pierre refuse de s'entraîner avec moi. Il persiste à répondre en allemand et n'essaie même pas de converser dans notre nouvelle langue. Il n'envisage pas sérieusement que nous puissions un jour régner sur la Russie, lui et moi, et cela me frustre. Il s'en moque, tout simplement ! Sa rengaine favorite : il veut rentrer chez lui !

Autre détail ennuyeux : souvent, quand le grand-duc me rend visite dans mes appartements, il empeste la vodka.

Je me passerai donc de son aide.

La nuit, lorsque tout le monde est couché, je m'installe avec une chandelle et une liste de vocabulaire. Je répète les mêmes mots à voix haute, encore et encore, et j'essaie de les inclure dans des phrases. Arpenter la pièce en récitant m'est fort utile, malgré le sol gelé en dépit de mes pantoufles fourrées.

Un mot en aparté

Mon frère Friedrich me manque, je me demande comment il va. Notre petite sœur marche sans doute à présent. Comme je voudrais qu'ils soient ici ! Ulrike serait jolie à croquer avec une petite toque russe de couleur vive.

Après un souper tardif...

J'ai écrit une lettre à papa concernant le père Simeon, l'homme qui m'enseigne la religion : il prétend que la seule différence entre luthériens et orthodoxes réside dans les « formes extérieures du culte ». J'ai expliqué à papa que je veux devenir une vraie Russe et que, par conséquent, je me ferai baptiser dans leur église. Je sais que cette nouvelle va le contrarier.

Un autre professeur me donne un cours quotidien : monsieur Landé, le maître de ballet venu de Paris. Il m'enseigne les danses de la cour, mais ce matin je lui ai demandé la permission d'être dispensée de pratique. J'ai tremblé toute la journée et j'ai mal à la tête. Je n'ai rien mangé, ni au petit déjeuner ni au déjeuner, et ce soir je me suis contentée d'un peu de soupe.

Trois jours plus tard

Mère s'est empressée de faire venir un médecin et m'a interdit de sortir du lit.

J'ai contracté une fièvre.

Quand elle a touché mon front et appris que j'étais souffrante depuis plusieurs jours, elle a paniqué.

– Tu n'as pas le droit d'être malade, s'est-elle emportée en me giflant.

Oh, cher journal, je dois m'allonger un peu et dormir...

10 avril 1744, Moscou

S'est-il réellement écoulé plus d'un mois depuis que j'ai ouvert ce journal pour la dernière fois ?

J'ai été très malade, je n'ai pas vu le temps passer. Mère t'a caché, cher journal, ainsi que mes plumes et mon flacon d'encre, afin que je ne me surmène pas, comme si écrire était une corvée ! C'est l'activité la plus facile, la plus réconfortante de ma journée. (Une fois de plus, je suis soulagée qu'elle ne sache pas lire le français.)

Quelquefois, au cours de ma maladie, j'ai trouvé en me réveillant l'impératrice en personne qui me tenait dans ses bras. Tout en me caressant la joue, elle me parlait en français de sa nouvelle affection pour moi. Apparemment, tout le monde à Moscou est persuadé que ma maladie est le résultat de la ferveur dont j'ai fait preuve pour apprendre le russe. À force de veiller tard dans ma chambre glacée pour étudier, j'ai pris un rhume qui s'est transformé en pleurésie.

– Vous avez gagné le cœur de votre peuple, m'a dit l'impératrice.

Puis, après s'être assise à mon chevet, elle a ouvert un coffret d'argent. À l'intérieur, sur un coussin de velours bleu, se trouvaient un collier de diamants et des boucles d'oreilles assorties.

– Pour mon adorable petite, a-t-elle dit en m'embrassant le front.

J'ai savouré en silence le fait qu'elle désigne les Russes comme *mon* peuple.

Plus tard ce soir, mère a essayé mes bijoux puis s'est examinée sous toutes les coutures devant la glace. Après les avoir replacés dans le coffret, elle a estimé qu'ils valaient au moins vingt mille roubles, une juste rétribution de mes souffrances.

Durant les vingt-sept jours de ma maladie, l'impératrice a ordonné aux médecins de me saigner au moins seize fois. Mère enrageait. Elle craignait beaucoup que la perte de sang ait raison de moi, et elle a fait une telle scène que l'impératrice l'a bannie de ma chambre.

La tension monte entre les deux, je le sens. Et cela m'inquiète.

Je m'inquiète aussi au sujet de mon dos qui s'est peut-être déformé comme lorsque j'étais petite. L'impératrice me renverra certainement chez moi si je finis bossue. Mère n'arrête pas de me répéter que seul un « spécimen parfait » pourra entrer dans la famille impériale.

Un nouveau rebondissement

Le médecin a ordonné que je reste au lit bien que je commence à me sentir mieux. Quelle torture de devoir rester allongée !

Ma seule consolation, c'est que je surprends des conversations quand je suis censée me reposer. Les dames croient que je suis endormie et que je n'entends pas leurs ragots.

Mais elles se trompent.

Aujourd'hui, j'ai appris que mère est impliquée dans une sorte d'intrigue de cour et qu'elle espionnerait pour le compte du roi Frédéric. Mère, une espionne ? Comment serait-ce possible ? Ne se souvient-elle pas de ce qui est arrivé à la comtesse Lopoukhina ?

Apparemment, lorsque nous avons rendu visite au roi à Berlin, ce dernier ne s'est pas contenté de me jauger, il a également donné des instructions à mère. Qu'est-elle censée faire exactement et pour quelle raison ? Je ne le sais pas encore.

Ce soir, j'ai entendu murmurer que l'impératrice Élisabeth est furieuse contre elle, et mon cœur s'est mis à battre à tout rompre ! Je me reposais dans mon lit, les yeux clos, la respiration régulière comme si je dormais, quand mère a fait irruption dans ma chambre, en larmes. Lorsque ses dames ont réussi à la calmer, j'ai appris que l'impératrice a eu des mots très durs à son égard.

Ai-je bien entendu qu'elle ne fait pas confiance à ma mère et veut la renvoyer chez nous ?

Comme je ne peux quitter mon lit que pour aller sur le pot de chambre, je n'ai pas pu m'examiner dans la glace. Serai-je encore capable de me tenir droite ? Si ma colonne vertébrale est tordue, mère dira que j'ai gâché sa vie et les chances de notre famille.

Même si c'est une femme mauvaise qui manifeste rarement son affection, elle reste ma mère. Elle est la seule dans ce pays qui ne me soit pas étrangère. Je ne sais pas si je pourrais supporter sa déception.

21 avril 1744, Moscou

C'est mon quinzième anniversaire !

En regardant par mes fenêtres, je sens que le printemps est proche. La neige fond et, avec chaque jour qui passe, le soleil se hisse un peu plus haut dans le ciel. Les drapeaux du palais claquent au vent, les arbres dénudés courbent la tête. Bien qu'il fasse encore froid dehors, l'impératrice m'a jugée suffisamment remise pour paraître en public.

Cher journal, je ne me sens pas prête à me montrer, l'image renvoyée par mon miroir est affreuse ! Je suis maigre comme un clou et la plupart de mes cheveux sont tombés. Mon visage est pâle et émacié. Je me désole de me voir si laide. Comme pour confirmer ce constat, un chambellan est entré il y a quelques minutes avec un petit plateau d'argent sur lequel était posé un pot de fard.

– Sa Majesté souhaite que vous vous maquilliez les

joues, a-t-il annoncé avec une courbette. Comme je ne réagissais pas, il a ajouté : C'est un ordre, Mademoiselle.

Je ferai ce qu'on m'a ordonné ; à défaut de me sentir mieux, j'aurai meilleure allure grâce au maquillage.

Une note positive, cependant : j'ai constaté dans le miroir que mes épaules sont droites et que ma posture n'a pas changé. Les mots me manquent pour exprimer mon soulagement.

Lorsqu'on m'a apporté le petit déjeuner, il y a une heure, je me suis forcée à sortir du lit. Un page s'est avancé avec un chariot sur lequel s'entassait assez de nourriture pour nourrir dix personnes : œufs, viande de bœuf, galettes de pomme de terre, betteraves, marmelade d'oranges, pain noir, miel, porridge servi avec une jatte de crème, et café. Rien de tout cela ne me faisait envie mais l'impératrice a donné des instructions pour que je mange jusqu'à l'écœurement. Encore un ordre.

Le grand-duc est entré pendant que je buvais mon café à petites gorgées.

– Figchen, a-t-il dit en rapprochant un siège de mon chevet, je me suis fait tant de souci pour vous ! Vous êtes ma seule amie ici.

Devant cette démonstration d'affection enfantine, je me suis sentie coupable de l'avoir mal jugé pendant toutes ces semaines. À l'avenir, je serai plus indulgente. Cette conversation avec lui dans ma langue maternelle m'a mis du baume au cœur bien que, dans l'ensemble, il ait été le seul à parler, je me contentais de l'écouter.

J'ai oublié une grande partie de mon russe depuis que j'ai contracté cette pleurésie, et cela me désole. Je dois retourner à mes études dès que possible. Je veux montrer à l'impératrice que je me soucie de son pays. Mais je veux aussi comprendre les conversations autour de moi. Comprendre ce que les autres disent, ce serait comme découvrir un trésor.

Je ne suis pas pressée d'être à ce soir ; je n'ai aucune envie d'assister aux réjouissances organisées en l'honneur de mon anniversaire. Mère a décrété que, bon gré mal gré, je dois exhiber ma guérison.

– Encore quelques efforts, ma fille, et vos fiançailles seront officielles. Alors le trône sera à portée de main. Maintenant, souriez.

Une fois de plus, mère n'a pas précisé pendant combien de temps je vais devoir rester grande-duchesse et regarder l'impératrice prendre de l'âge.

Je dois reposer ma plume, cher journal. Une femme de chambre m'apporte une robe qu'on a dû reprendre aux coutures en raison de ma maigreur. Elle est d'un vert jade magnifique et la jupe est rebrodée de dentelle bleue.

Oh, comment ai-je pu oublier de mentionner le dernier cadeau de l'impératrice ? C'est une adorable petite tabatière ornée de diamants, qui tient dans la paume de ma main. Le mot qui l'accompagnait disait *Pour mon adorable petite*. Dois-je comprendre qu'elle m'aime bien ?

3 mai 1744, Moscou

L'impératrice est partie ce matin en pèlerinage à Troitza, l'un des nombreux monastères de Russie. Pierre prétend qu'elle s'y rend lorsqu'elle doit prendre des décisions importantes et qu'elle a besoin de réfléchir. Comme il s'agit d'un voyage spirituel, elle préfère marcher (près de cent kilomètres !). Il m'a expliqué qu'il lui faut au moins une semaine pour atteindre le monastère mais elle ne dort pas en chemin, une voiture la suit. Lorsqu'elle a suffisamment marché pour la journée, la voiture la reconduit à Moscou pour y dîner et y dormir. Au matin, elle la ramène là où elle s'est arrêtée la veille afin qu'elle reprenne son périple. La même chose se répète chaque soir jusqu'à ce qu'elle atteigne Troitza.

Pierre m'a raconté que ce pèlerinage-ci est différent, cependant.

– Elle effectue tout le trajet en voiture. Elle est très pressée pour une raison ou une autre, j'ignore laquelle.

Il semblait nerveux en me racontant cela mais, à vrai dire, je suis soulagée qu'elle soit partie. Je veux rattraper mon retard dans mes cours de russe. Et puis ce sera plus facile de se reposer sachant que Sa Majesté ne se trouve pas dans le palais et qu'elle ne peut pas me convoquer à n'importe quelle heure du jour ou de la nuit.

Avant le coucher

Oh, cher journal, je ne vais pas pouvoir me détendre comme prévu !

Un messager vient de nous porter un message de l'impératrice. Elle nous convoque, mère, Pierre et moi : c'est un ordre ! Notre attelage part dans la matinée.

À l'instar de Pierre, je me demande pourquoi elle a mis tant de hâte dans son départ pour le monastère. Et pourquoi est-il si urgent que nous partions, nous aussi ?

Troitza

Nous sommes arrivés il y a une heure. Mère et moi, nous partageons la même chambre. Elle s'est allongée pour se reposer pendant que les femmes de chambre défont nos bagages.

La chambre de Pierre est au rez-de-chaussée.

Quand nous sommes descendus de voiture, un moine nous a expliqué que le monastère possède quinze domaines. Il a désigné la vaste campagne avant d'ajouter que des milliers de serfs travaillent la terre et essaient d'en retirer leur subsistance. Il s'est penché vers moi pour me murmurer :

– Ce serait une bonne idée que vous rencontriez certains d'entre eux.

Il me faisait comprendre par là qu'un jour, ces serfs pourraient devenir mes sujets.

Un chambellan vient d'entrer dans notre chambre avec des instructions. Il doit nous mener immédiatement devant l'impératrice. J'écris ces lignes à la hâte pendant que mère se farde les joues...

Peu avant minuit

Ce soir la situation a dégénéré. En fait, je crains pour la vie de ma mère.

On nous a ordonné, au grand-duc et à moi, d'attendre dans l'antichambre de l'impératrice pendant que mère était menée devant elle. Une amitié espiègle est née entre lui et moi depuis que j'ai été malade, aussi n'étions-nous pas malheureux d'être laissés en tête à tête. Nous nous sommes installés sur le rebord d'une haute fenêtre qui donnait sur les champs. À la vue de deux jeunes chèvres qui se donnaient des coups de corne, nous avons ri. Puis Pierre m'a donné une tape sur le bras comme il l'aurait fait avec une sœur, et je lui ai rendu ses coups. Nous étions toujours occupés à rire quand la porte s'est ouverte à la volée et le comte Lestocq a fait irruption dans la pièce. Il est le conseiller et le médecin de l'impératrice.

Il s'est dirigé au pas de charge vers l'endroit où nous étions assis et il m'a regardée droit dans les yeux.

– Fais tes bagages immédiatement, l'Allemande. Tu retournes d'où tu viens.

Pierre s'est redressé.

– Que signifie tout cela ?

– Vous ne tarderez pas à le découvrir, a répliqué le comte avant de tourner les talons.

Pierre et moi sommes restés hébétés un moment. J'ai ravalé mes larmes mais j'étais morte de peur. Mon avenir venait de m'échapper. Sans le vouloir, j'avais déplu à Sa Majesté.

En voyant mes larmes, Pierre m'a tapoté la main.

– Je ne serais pas surpris d'apprendre que c'est votre mère la fautive. Quoi qu'elle ait fait, vous ne devriez pas être inquiétée, Figchen.

Un instant, cher journal, je dois allumer une autre chandelle...

Suite...

Le grand-duc et moi-même étions toujours assis près de la fenêtre à nous demander ce qui venait de se passer, quand la porte s'est encore ouverte et l'impératrice est entrée, le visage rouge de colère. Derrière elle se tenait ma mère, les joues inondées de larmes.

Pierre et moi nous sommes levés d'un bond. Mon cœur battait la chamade car je savais que quelque chose d'horrible s'était produit. Je me suis inclinée devant l'impératrice avant de murmurer quelques mots de russe que j'avais appris :

– *Vinovata, Matuska*. C'est moi la fautive, Madame.

J'ai levé les yeux vers elle ; bien sûr, je ne savais pas pourquoi je lui demandais pardon, je savais juste que je devais le faire.

Le regard sévère de l'impératrice s'est radouci et elle s'est penchée pour me relever. Elle m'a embrassé le front. Puis, sans un mot, elle a quitté la pièce.

En ce moment, mère est alitée et elle refuse de me raconter ce qui s'est passé. Encore un autre de ses secrets qui me torture !

Le lendemain

Ce matin, pendant que je prenais mon petit déjeuner dans la véranda, j'ai surpris une conversation entre deux domestiques. De l'autre côté de la baie vitrée, ils parlaient de l'impératrice en balayant une allée du jardin. Par chance, ils s'exprimaient en français.

– S'il y a deux choses que Sa Majesté déteste plus que tout au monde, ce sont la duperie et la trahison, a dit l'un d'eux.

– Eh bien ! a renchéri l'autre, pas étonnant qu'elle haïsse l'Allemande, dans ce cas.

En dressant l'oreille, j'ai fini par apprendre quelle avait été la cause de la confrontation de la veille. Un proche zélé de l'impératrice a intercepté et décodé des lettres entre le roi Frédéric de Prusse et la princesse d'Anhalt-Zerbst : ma mère est bien une espionne !

Je suis lasse de toutes ces intrigues et ne sais que faire.

Les domestiques ont mentionné d'autres intrigues et des problèmes politiques mais c'est surtout l'affaire concernant ma mère qui m'inquiète.

22 juin 1744, Moscou

Il s'est écoulé six semaines depuis la dernière fois que j'ai écrit et c'est déjà l'été ! Les arbres sont couverts de feuilles, des fleurs parsèment les jardins et les allées. Je porte des robes de coton blanc pour ne pas souffrir de la chaleur lors de mes promenades.

Comme tu peux le constater, cher journal, l'impératrice ne m'a pas renvoyée chez moi. J'ignore pourquoi elle a changé d'avis ce soir-là au monastère ; peut-être a-t-elle compris en me voyant que je n'étais pas impliquée dans les machinations de ma mère.

Je respire à nouveau : mère n'a pas été envoyée en Sibérie et on ne lui a pas coupé la langue. Mais elle a quand même été punie.

L'impératrice lui a interdit de paraître à la cour, sauf dans le cadre d'événements officiels. Et après mon mariage, elle sera bannie de Russie où elle ne pourra revenir sous aucun prétexte.

Comble de l'humiliation, ma propre mère, si elle veut me rendre visite, doit dépêcher un messager chargé de l'annoncer. Elle ne pourra plus venir me saluer à l'improviste. Ce rituel formel nous éloignera à jamais. Elle est furieuse et humiliée. Moi aussi, j'en suis contrariée, mais je dois me taire. J'espère seulement que mère est aussi soulagée que moi de ne pas avoir été envoyée dans le nord.

Depuis mon séjour au monastère, je me consacre à mes études : langue, religion, danse, étiquette. C'est la raison pour laquelle je t'ai négligé, cher journal.

24 juin 1744, Moscou

Dans trois jours, je serai baptisée selon le rite orthodoxe, sur ordre de l'impératrice. Puis le lendemain, à l'occasion de la fête des saints Pierre et Paul, mes fiançailles avec mon cousin seront officiellement annoncées. J'ai failli écrire : *nous fêterons nos fiançailles* mais l'événement n'aura rien d'une fête.

Je ne crois pas qu'il ait hâte de devenir mon mari, pas plus que je n'ai envie d'être sa femme. Dernièrement, notre amitié s'est renforcée mais nous avons une relation plutôt fraternelle. Nous aimons bien nous taquiner, et puis nous avons le même âge, la même éducation luthérienne et la même langue maternelle, l'allemand. J'aime bien lorsqu'il m'appelle Figchen et qu'il me propose une promenade dans les jardins du palais.

Hélas, j'ai fini par me résigner : notre mariage n'a rien de romantique. C'est la couronne russe que je vise. Mère me répète sans cesse que c'est ce qu'elle a toujours souhaité pour moi depuis ma naissance.

– Nous y sommes presque, m'a-t-elle glissé à l'oreille ce matin après le petit déjeuner. Ceci *après* qu'une dame de compagnie l'a annoncée et *après* que je l'ai autorisée à entrer. J'ai toujours beaucoup de mal à traiter ma propre mère comme une inférieure mais c'est ainsi que nous devons nous comporter à partir de maintenant.

Entre-temps, l'évêque Pskov a décrété que je devais jeûner pendant les trois prochains jours : je n'ai droit qu'à de l'eau ! Je n'aime pas avoir le ventre vide, surtout maintenant que j'ai recouvré la santé et, avec elle, l'appétit. Ces deux derniers mois, j'ai mangé de bon cœur à tous les repas. À mon grand soulagement, mon dos ne s'est pas déformé durant ces semaines passées au lit, et mes joues sont bien pleines. J'ai même mis de côté le fard donné par l'impératrice !

26 juin 1744, Moscou

Mon russe s'améliore. Je m'entraîne en lisant la doctrine à voix haute, encore et encore. Le père Simeon prétend que ma prononciation est bonne mais j'entends encore mon accent allemand.

Hier soir, la faim m'a empêchée de fermer l'œil. Si seulement j'avais l'étoffe d'une sainte, le jeûne ne me semblerait pas un tel calvaire ! Je ne comprends pas quel est le but de ce sacrifice mais je m'y soumets afin de montrer que je suis disposée à obéir. Au cours de cette nuit interminable, je me suis levée pour regarder par la fenêtre et mon initiative a été récompensée par un spectacle époustouflant.

Le ciel était illuminé de couleurs — du vert, du bleu, du pourpre —, des ondulations de lumière qui miroitaient à l'horizon en changeant de forme à chaque seconde. J'étais tellement ravie que j'ai couru jusqu'à la chambre de mère pour la réveiller. Mais son lit était vide ! Elle a dû descendre jouer aux cartes avec ses dames. Oh, j'espère qu'il s'agit bien de cartes et non d'intrigues !

27 juin 1744, Moscou

Je n'arrête pas de penser à la nourriture. Je ne cesse de prier et de demander à Dieu de me donner de la force, mais je suis prise de vertiges et je me sens plus faible d'heure en heure.

Pierre prétend que l'impératrice va me faire changer de nom : elle trouve que Sophie est un prénom impur. Il lui rappelle une autre Sophie, la demi-sœur de Pierre le Grand, qui conspira contre lui et fut envoyée au couvent. Le scandale fut tel que l'impératrice ne veut pas qu'il soit associé d'une façon ou d'une autre à sa cour.

Je me demande si mère connaissait ce fragment d'histoire quand elle m'a baptisée.

Hier je me suis encore levée pendant la nuit pour aller m'asseoir près de la fenêtre ouverte. Le hululement d'une chouette a retenti au loin, bientôt repris par un autre. L'air était si doux que j'aurais voulu avoir des ailes pour m'envoler dans la nuit et suivre les couleurs qui se détachaient sur le ciel sombre.

D'une certaine manière, la faim m'a fait un cadeau : sans le jeûne, je n'aurais jamais remarqué la lumière polaire, le plus beau spectacle que j'aie jamais vu. Contrairement à la nuit où j'ai aperçu la comète en Courlande, j'ai contemplé le ciel jusqu'à ce que je n'aie plus la force de garder les yeux ouverts.

Une lettre de papa

Mon cher père est accablé à l'idée que je renonce à la foi luthérienne. Mais il a été encore plus chagriné en recevant un ordre de l'impératrice délivré par un messager à notre château de Stettin.

Je n'ai pas le droit de fouler le sol russe, m'a-t-il écrit. Il n'a pas l'autorisation d'assister à ma conversion et il n'est pas invité à mon mariage. Je ne comprends pas pourquoi, tout ce que je sais, c'est que Sa Majesté impériale en a exprimé le souhait.

Et, pour couronner le tout, il a demandé à mère de rentrer dès que possible car mon frère est malade.

Comme mon cœur se serre ! Maintenant seulement je prends conscience que je ne reverrai sans doute jamais mon père bien-aimé ni même mon frère et ma sœur. Si mère s'en va, je resterai seule ici, sans famille ni amis. Pierre sera mon seul compatriote.

Dans la dernière page de sa lettre, papa m'a décrit la cour de notre château à Stettin. Sur l'un des murs de la tour est encastrée une horloge sculptée à la manière d'un visage. Quand elle sonne l'heure, la demi-heure et le quart d'heure, ses immenses yeux roulent dans leurs orbites et sa bouche s'ouvre toute grande. Comme je riais, enfant, quand papa me portait dans ses bras pour me la montrer du doigt ! C'était l'un de nos passe-temps favoris, aller dire bonjour à l'horloge.

28 juin 1744, Moscou

Enfin seule !

C'est la fin de l'après-midi et je me trouve dans une pièce à l'étage du Kremlin, un ancien château bâti pour y héberger la famille royale. Il est si haut que les gens qui marchent en bas dans la cour ont l'air aussi minuscules que des insectes. La table à laquelle je suis assise est installée près d'une fenêtre entrouverte pour laisser entrer la brise ; le rideau me frôle sans cesse la main. Je commence enfin à me détendre.

Par où commencer ?

Les événements de la journée m'ont tellement épuisée que j'ai demandé la permission d'être exemptée du banquet de gala qui débute en ce moment même. Bien qu'il ait été organisé en mon honneur, l'impératrice a consenti à ce que j'aille me reposer.

Ce matin, les femmes de chambre m'ont réveillée avant l'aube. Elles m'ont apporté du pain et un bol de soupe afin que je rompe le jeûne. J'étais affamée et j'aurais pu manger facilement cinq fois plus que ce qu'on m'a donné. Même maintenant, j'ai l'estomac dans les talons.

Ensuite, on m'a conduite dans les appartements de l'impératrice pour m'habiller. Ma robe était identique à la sienne, coupée dans un épais tissu rouge rebrodé d'argent. Une de ses dames m'a noué les cheveux avec un ruban blanc puis m'a pincé fort les joues pour me donner bonne mine. Pourquoi n'a-t-elle pas utilisé du fard ? Je n'en sais rien.

En me regardant dans le miroir, j'y ai vu une petite fille étonnée vêtue avec des habits d'adulte. Je suis certaine d'avoir embelli mais personne ne m'a dit que j'étais jolie et je n'ai même pas eu droit à un compliment.

Sur le trajet depuis le palais jusqu'à l'église, notre cortège était le point de mire de la foule alignée à droite et à gauche. Dans la chapelle bondée, tous les yeux étaient rivés sur moi. Devant la porte, on m'a ordonné de m'agenouiller sur un coussin puis de reprendre ma progression jusqu'à l'autel. La femme désignée comme ma marraine, l'abbesse du couvent Novodevichi, m'est totalement inconnue. Elle est voûtée par l'âge (elle doit avoir au moins quatre-vingts ans) et ne m'a pas adressé la parole.

Ce n'est qu'en venant ici, il y a une heure à peine, que j'ai appris par une domestique que toutes les dames de la noblesse avaient sollicité auprès de l'impératrice l'honneur d'être ma marraine. J'ignore en quoi consiste cette fonction mais l'abbesse a été choisie en raison de sa piété ; rien à voir avec un calcul politique.

Plus tard... Un valet vient de m'apporter mon souper sur un plateau. Je meurs de faim !

La cérémonie

Raconter tout ce qui s'est passé dans les détails me vaudrait un nouveau mal de tête, aussi serai-je brève.

Une fois parvenue devant l'autel, j'ai lu les cinquante pages du Credo puis j'ai récité ma confession de foi. J'ai parlé lentement en m'appliquant à bien prononcer les mots russes. Cet effort m'a aidée à garder mon calme.

Mais j'avais la gorge tellement sèche que ma voix était rauque.

Après avoir fini, j'ai levé les yeux et je me suis aperçue que presque tout le monde était en larmes. L'impératrice elle-même a porté un mouchoir à ses yeux. Elle m'a regardée avec affection en hochant la tête d'un air approbateur.

Puis elle m'a menée devant un prêtre avec une longue barbe blanche qui m'a donné la communion. Je sais que c'est un péché, mais en mangeant le pain et en buvant le vin, je ne pensais qu'à la faim qui me tenaillait ! Et à ma robe qui me démangeait (la dentelle qui bordait une des coutures intérieures me déconcentrait). Je supplie Dieu de me pardonner d'avoir été distraite pendant cette cérémonie sacrée.

J'espère aussi que papa me pardonnera. J'ai fait exactement le contraire de ce que je lui avais promis : j'ai renoncé à la simplicité de mes racines luthériennes.

Maintenant je suis en chemise de nuit et je prends l'air à la fenêtre. Une dame de compagnie m'a expliqué qu'elle ne doit pas rester ouverte afin d'éviter qu'en se penchant trop, on tombe dans le vide. Ou qu'on s'y jette. C'est déjà arrivé auparavant mais je n'ai pas osé demander des détails.

J'ai reporté mon attention sur une petite boîte en argent posée sur la table où j'écris. Le couvercle se dévisse avec un cliquetis agréable, révélant le trésor qui se trouve à l'intérieur : un diamant en pendentif sur une délicate chaîne en or et une broche assortie, des cadeaux de l'impératrice. Elle m'a donné la boîte ce matin après la cérémonie, comme pour m'accueillir dans sa famille.

Un nouveau nom

À partir de maintenant, je m'appelle Catherine Alekseïevna, Son Altesse impériale la grande-duchesse de Russie. Ce titre me fait un drôle d'effet car, au fond, je suis restée Figchen, Sophie Augusta Fredericka, princesse d'Anhalt-Zerbst.

Il va falloir que je m'y habitue.

Catherine est le nom de la mère de l'impératrice. Bien que la tradition russe exige que l'on ajoute le nom du père à celui de l'enfant, papa a été tenu à l'écart de toute la cérémonie. Il n'est qu'un simple soldat sans la moindre goutte de sang royal. Pire encore, il est luthérien.

C'est la raison pour laquelle je suis triste ce soir.

Hélas, cher journal, il se fait tard et je dois te reposer pour aller me coucher. Demain, un autre grand jour m'attend : mes fiançailles. J'espère qu'à l'avenir j'éprouverai autre chose pour Pierre qu'un sentiment fraternel.

29 juin 1744 : le jour de la Saint-Pierre, Moscou

Je suis officiellement la fiancée du grand-duc.

Tôt ce matin, un chambellan m'a apporté un petit portrait de l'impératrice serti de diamants, de la taille d'un biscuit. Quelques instants plus tard, un autre chambellan est entré chez moi pour me remettre un portrait de Pierre cette fois, également serti de diamants, où il pose en perruque blanche à boudins. Je dois admettre que ce portrait le flatte beaucoup.

J'ai approché les miniatures de la fenêtre afin de mieux les regarder. Les diamants étincelaient à la lumière du soleil et, tout en admirant leur beauté, j'ai médité sur les circonstances qui m'ont conduite, de mon petit village allemand, jusqu'en Russie. Même dans mes rêves de petite fille, jamais je n'aurais imaginé posséder de si magnifiques pierreries.

Une femme de chambre m'a aidée à attacher les portraits sur le devant de ma robe. J'ai tressailli en sentant les épingles traverser l'étoffe et me piquer la peau, mais je n'ai pas crié. Les dames chargées de ma coiffure se sont extasiées sur les diamants qui, paraît-il, mettent mes yeux en valeur. Leurs compliments m'ont aidée à me donner une contenance !

Peu après, Pierre s'est présenté chez moi pour me mener devant l'impératrice. Il m'a souri comme un vieil ami puis m'a embrassée doucement sur les deux joues.

Son affection m'a redonné espoir et c'est pleine d'une assurance nouvelle que j'ai pris son bras. Nous avons traversé un labyrinthe de couloirs et de salles sous le regard des nobles, des courtisans et des serviteurs venus assister à l'événement.

Arriverai-je un jour à m'habituer à tous ces yeux braqués sur moi ?

L'impératrice nous attendait sur le seuil d'un vaste escalier, parée de sa couronne et de la cape impériale drapée sur sa poitrine. À la vue de cette silhouette haute, imposante et couverte de bijoux, j'ai senti mon estomac se nouer. Devant nous se tenait la femme la plus puissante du plus vaste pays au monde, sur le point de me proclamer officiellement héritière de son trône.

Si seulement elle souriait, ai-je songé, alors je pourrais me détendre.

Mais on aurait dit un roc. Je n'étais pas loin de fléchir. Mes genoux tremblaient et j'ai dû lutter pour me tenir droite. J'aurais voulu admirer de plus près son magnifique costume et toutes les pierres précieuses qui ornaient sa couronne, mais je n'ai pas osé. D'un seul coup d'œil, j'ai remarqué, parmi les diamants et les rubis, une émeraude de la taille d'une pièce de monnaie.

Hélas, il ne reste plus rien de ma chandelle...

Toujours au sujet des fiançailles...

Où en étais-je ? Ah oui...

En haut du grand escalier, huit généraux encadraient l'impératrice Élisabeth, leurs uniformes ornés de médailles et d'insignes aux couleurs vives. Les bras repliés contre la poitrine, ils soutenaient un immense dais brodé d'argent censé protéger l'impératrice de la chaleur. À notre approche, elle s'est tournée pour nous guider au bas des marches, le grand-duc derrière elle et moi derrière lui. Ma mère avait le droit de nous suivre à distance, puis venait un certain nombre de princesses et de dames placées en fonction de leur rang.

On n'entendait que le bruissement des robes et le claquement des souliers sur le sol en marbre ! Je n'osais pas me retourner pour regarder ma mère, mais j'imagine qu'elle rayonnait de fierté.

L'impératrice avançait si lentement que j'ai cru que nous n'arriverions jamais au pied de l'escalier. Enfin, nous nous sommes retrouvés dehors et nous avons traversé la vaste place tel un défilé solennel. J'entendais toujours le bruit des pas et le froufrou des robes en satin derrière nous. Tout le long du chemin, des soldats montaient la garde. La journée était chaude et ensoleillée.

L'impératrice Élisabeth marchait à l'ombre du dais, elle était la seule parmi la foule à être protégée de la chaleur.

À l'entrée de la cathédrale de l'Assomption, le clergé en robe nous a accueillis avec des signes de tête et de brèves paroles de bienvenue, que je n'ai pas comprises pour la plupart. L'impératrice m'a pris la main ainsi que celle de Pierre, et nous a conduits au centre de l'église où s'élevait une estrade tapissée de velours. Là nous attendait l'archevêque.

Cher journal, je ne trouve pas les mots pour décrire l'ennui de cette cérémonie : elle a duré des heures ! N'ayant pas l'autorisation de m'asseoir, j'étais incapable de me concentrer. Non seulement je ne comprenais rien au russe que l'on marmonnait autour de moi, mais de plus, ma robe me démangeait terriblement. Le lourd tissu pesait sur mes épaules.

Un des prêtres agitait une boule d'argent contenant de l'encens. L'odeur me donnait envie d'éternuer et j'avais les yeux larmoyants à force de me retenir ! Avec tout ce monde qui m'observait, je n'osais pas m'essuyer le nez dans la manche de ma robe. J'avais aussi beaucoup de mal à m'entendre appeler « Catherine » au lieu de « Figchen » ou « Sophie ». J'avais envie de regarder autour de moi. Qui était donc cette fille que j'étais apparemment la seule à ne pas connaître ?

Il y avait tant de choses à voir : les riches ornements de l'église, les hauts plafonds et les alcôves qui abritaient des statues, les vases d'argent et les chandeliers, les peintures, les prêtres, leur robe d'or et leur longue barbe, les psaumes. Pour être honnête, je n'aurais pas su dire s'il s'agissait de russe ou de grec.

L'impératrice s'est tenue à nos côtés pendant que l'archevêque prononçait nos fiançailles puis elle a échangé nos anneaux. À ce moment, suite, sans doute, à un signal fixé au préalable, nous avons entendu au dehors des coups de canons et le carillon des cloches de toutes les églises de Moscou, au nombre de cinq cents, m'a-t-on dit.

Le premier banquet

Notre repas de midi a été un vrai désastre.

Pierre et moi, nous avons dîné avec l'impératrice au palais de Granovitana. Notre table d'honneur avait été installée sur une estrade d'où nous surplombions les nombreux invités assis dans la grand-salle. J'étais toujours bouleversée par la cérémonie, aussi n'ai-je pu avaler qu'un morceau de pain. Je devais faire de gros efforts pour soutenir une conversation en russe tant mon esprit était engourdi. Je retenais à grand-peine des larmes de frustration.

La situation est devenue encore plus délicate lorsque mère s'est présentée à notre table et a exigé de s'asseoir avec nous. Je n'en revenais pas de son audace. J'aurais voulu rentrer sous terre.

– En tant que mère de la grande-duchesse Catherine, j'ai droit à ce privilège, a-t-elle déclaré.

Encore ce nom étrange, Catherine ! Elle s'était vite adaptée à ma nouvelle identité !

Le grand-duc Pierre l'a dévisagée, les sourcils levés. Bien que furieuse contre ma mère et sa grossièreté, je lui en ai voulu à lui aussi de lever les yeux au ciel. Il n'a manifestement pas les qualités d'un diplomate car il n'a rien fait pour dissiper notre embarras. Il a continué à manger sa soupe comme un enfant, sans même s'essuyer le menton avec sa serviette.

– Eh bien ? a demandé ma mère comme elle n'obtenait pas de réponse.

Pour finir, l'impératrice a fait signe au maître des cérémonies qui s'est précipité vers elle.

– Montrez sa place à Madame, a-t-elle ordonné en désignant ma mère.

En refusant de l'appeler par son nom ou son titre, l'impératrice signifiait clairement son mécontentement.

L'homme s'est incliné avant de faire signe à ma mère de le suivre. Je ne crois pas qu'elle aurait autant jubilé si elle avait compris que la place qu'on lui réservait se trouvait dans une pièce à part, isolée de tous !

Une porte vitrée la séparait de l'estrade où nous étions assis. Je souffrais de la voir manger seule à cette grande table en essayant de garder la tête haute ; elle devait sans doute ravaler ses larmes, tout comme moi. J'ai bien peur que sa vanité ne lui vaille un isolement encore plus douloureux.

En Sibérie, il n'y a pas de porte vitrée à travers laquelle elle pourrait nous voir.

Après cette humiliation, ma migraine ne m'a pas quittée. Au banquet du soir a succédé le bal. Je me souviens d'avoir dansé un menuet avec Pierre, heureuse d'avoir suivi des leçons avec monsieur Landé.

Comme il se faisait tard, je me suis sentie oppressée par la foule et l'orchestre. Les violons jouaient une valse mais j'avais l'impression d'entendre un bourdonnement d'insectes. L'un des serviteurs postés devant les portes s'est évanoui à cause de la chaleur. Lorsqu'on l'a emmené à l'écart, sa perruque poudrée est tombée par terre. À son instar, les autres domestiques étaient habillés à la mode française : culotte, bas blancs et souliers noirs à talon haut.

Avant le coucher

Cher journal, même maintenant que ces événements sont derrière moi, je suis encore épuisée. Et perdue. Il y a trop de règles et de rituels nouveaux pour moi. Bien que je connaisse les rudiments du russe et que je comprenne certaines personnes quand elles me parlent lentement, cette langue demeure un mystère. Quand les Russes ouvrent la bouche, j'ai l'impression d'entendre des chiens aboyer !

En ce qui concerne papa... est-ce si important, le culte, tant que c'est le Christ que j'honore ?

Je ne peux pas m'arrêter de pleurer. Mère fête ma nouvelle ascension dans ses appartements avec ses dames de compagnie, mais je me demande ce qu'elle leur a raconté au sujet de sa place à table.

Une jeune Russe d'une douzaine d'années vient de plier mon dessus-de-lit. Maintenant elle m'apporte une jolie chemise de nuit jaune pâle bordée d'un liséré bleu. J'espère qu'elle ne répétera pas que j'ai pleuré.

Les mots de ma chère Mademoiselle Babette me reviennent en mémoire :

– Allez-vous coucher, Figchen. Demain est un autre jour.

Je vais donc reposer ma plume et refermer ces pages.

P.-S. : Hélas, je n'ai pas le cœur à te quitter, cher journal, pas encore. Maintenant que les domestiques se sont retirées dans leurs quartiers et que je suis enfin seule, j'ai besoin d'épancher mon chagrin.

Cette « Catherine », ce n'est pas moi.

Je ne devrais pas me plaindre après toutes les largesses dont j'ai bénéficié ces dernières semaines. Mais j'aurais tant voulu être libre de choisir mon nouveau prénom. Quelque chose de familier, comme Christiane, peut-être, d'après le nom de mon père, ou encore Ulrike, comme ma sœur. Mais porter ce prénom, « Catherine », revient à porter une robe trop grande et peu confortable.

Par ailleurs, j'espère que je ne serai pas obligée de porter la bague du grand-duc tous les jours ! Elle est si lourde qu'elle me glisse du doigt et les pierres accrochent le tissu de ma robe. Ce soir, avant de retourner dans ses appartements, mère m'a pris la main pour examiner ma bague qu'elle a évaluée à douze mille roubles. Celle que j'ai offerte à Pierre — grâce à mon nouveau train de vie — m'a coûté quatorze mille roubles.

– Manifestement, vous avez meilleur goût, ma chère, a commenté mère.

Je me suis jetée dans ses bras, et mon geste m'a surpris. D'abord, elle a paru réticente puis, comme je ne faisais pas mine de me dégager, elle m'a rendu mon étreinte, allant même jusqu'à appuyer sa joue contre la mienne, comme quand j'étais petite.

Si seulement elle ne s'était pas attirée les foudres de l'impératrice ! Nous pourrions nous voir à notre guise, sans les femmes de chambre pour rapporter nos conversations.

5 juillet 1744, Moscou

La Russie est magnifique en été. Les nuits sont chaudes et éclairées d'une lumière pâle. Les mystérieuses couleurs qui illuminent le ciel après le coucher du soleil me redonnent espoir sans que je sache pourquoi. Leur beauté extraordinaire m'émeut.

Mes journées ne sont plus aussi solitaires maintenant que je comprends mieux ma nouvelle langue. Je pratique mon russe avec chaque dame de compagnie, chaque précepteur, majordome et jardinier que je croise ; ils se montrent tous patients avec moi et vont même jusqu'à corriger gentiment mes nombreuses fautes de grammaire.

J'ai appris à aimer ce pays, bien que je n'en aie encore qu'un vague aperçu. Même la religion — avec ses rituels et ses ornements tarabiscotés — m'apporte du réconfort. Papa serait choqué d'apprendre que je m'y suis vite habituée.

20 juillet 1744, Moscou

Mes études me prennent tout mon temps, mais j'en suis heureuse. Deux semaines se sont écoulées sans que j'écrive sur ces pages, mais je reprends mon récit maintenant que mon été tranquille a pris fin.

L'impératrice nous a ordonné de l'accompagner dans un autre monastère ! Celui-ci — le monastère des Grottes — est le plus vieux de Russie. Il se trouve à plusieurs centaines de kilomètres au sud, en Ukraine, près de la ville de Kiev.

Les femmes de chambre sont déjà en train de faire nos bagages. Il nous faudra au moins trois semaines pour nous y rendre et trois semaines pour en revenir.

Cher journal, l'été sera terminé alors. Comme j'appréhende de rester assise dans une voiture pendant tout ce temps et de camper pour la nuit ! Mon lit moelleux et mon bain du soir ont fait de moi une enfant gâtée. Trouverai-je le temps d'étudier pendant le trajet ?

Pierre est aussi excité qu'un gamin à l'idée de ce voyage : tout est bon pour rompre la monotonie de ses leçons. La principale différence entre nous deux, c'est que j'adore apprendre et que je veux devenir une vraie Russe. Lui s'en moque.

– Je suis allemand, m'a-t-il encore répété ce matin. Et je le resterai.

Sur la route de Kiev

Nous avons établi le campement près d'un ruisseau pour deux nuits afin que les chevaux se reposent, j'ai donc enfin du temps pour écrire. Je suis assise à l'ombre de notre tente, à même le sol, tandis qu'une colonne de fourmis progresse à mes pieds. Partout où mon regard se porte, des plaines jaunies par le soleil et la sécheresse. Nous avons traversé des douzaines de minuscules villages qui se réduisent à quelques masures regroupées. À chaque fois que nous faisons halte, les paysans sortent de leurs pauvres bicoques pour nous offrir du pain noir et du sel.

Cette marque d'hospitalité me touche mais m'embarrasse. Ils ont si peu et moi j'ai tant. Que pourrais-je faire ou leur donner pour améliorer leur sort ? Aucun de mes compagnons de voyage ne semble s'en soucier, Pierre encore moins que les autres.

– Laissons l'impératrice s'occuper de son peuple, a-t-il décrété lorsque je lui ai fait part de mes inquiétudes. Elle risque de rester un moment sur le trône. Nous ne sommes que le couple héritier.

J'ai repensé à sa remarque. Comment se fait-il que l'on nous ait accordé tant d'honneur, mais pas le pouvoir d'aider ceux qui, un jour, deviendront nos sujets ? Aussi cruel que cela puisse paraître, il pourrait s'écouler des années avant que l'impératrice ne meure.

Peut-être le moine du monastère de Troitza a-t-il compris cela quand il m'a conseillé d'aller voir les serfs.

Contrairement à notre précédent voyage, le convoi de l'impératrice est parti plusieurs jours après le nôtre. Un messager qui nous a rejoints ce soir a expliqué qu'elle sera retardée en raison « d'incidents fâcheux ». Par conséquent, elle est d'une humeur exécrable et a ordonné l'exil en Sibérie de plusieurs personnes parmi son entourage ! En entendant la nouvelle, j'ai eu l'estomac noué. Un minuscule faux pas et moi aussi, je pourrais être bannie.

Ce messager nous a aussi informés qu'une fois arrivés en Ukraine, nous devrons nous arrêter dans la ville de Koseletz et y attendre l'impératrice. Elle voyage avec une cour de trois cents personnes environ et son convoi comprendrait également la majorité de ses meubles, des ustensiles de cuisine, des cuisiniers, des blanchisseuses, une couturière et ainsi de suite. C'est Moscou tout entière qui se déplace avec elle : il y a même du bétail afin que le chef cuisinier dispose de viande fraîche. À chaque relais, huit cents chevaux sont mis au service de l'impératrice.

Dans cet immense pays, tout est à sa disposition, y compris Pierre et moi-même. Quoi qu'il advienne, nous devons nous conformer à sa volonté.

Le lendemain

Ce matin, avant le lever du soleil, je me suis lavée dans le ruisseau. Tout le monde dormait encore à l'exception d'une servante chargée d'allumer le feu du petit déjeuner. Comme j'émergeais, ruisselante, de l'eau glacée, elle s'est avancée avec une nappe blanche qu'elle a drapée autour de mes épaules.

Pendant que je m'habillais dans ma tente, j'ai entendu des éclats de voix derrière la fine paroi de toile.

– Vous êtes un impudent et un idiot ! s'est écriée une femme et j'ai immédiatement identifié ma mère.

– Et vous, Madame, êtes une *zemleroïka*.

Pas de doute, c'était bien la voix de Pierre qui venait d'utiliser le terme russe pour la traiter de mégère. Ils se disputaient ! Mais pour quelle raison ?

Je reprendrai mon récit plus tard : on harnache les chevaux en vue d'une autre journée interminable.

2 août 1744, Koseletz

Depuis plusieurs jours, nous faisons halte dans un château bâti par le comte Razoumovski. L'endroit est luxueux, quoique bondé : mère et moi devons partager une chambre, et nos dames dorment sur des lits de fortune dans l'antichambre. Comme nous attendons l'arrivée de l'impératrice Élisabeth, nous en profitons pour nous reposer, nous promener dans les jardins et nous détendre au cours de dîners tranquilles. J'ai tout loisir de réviser mon russe.

J'apprends à apprécier la compagnie du grand-duc. Parfois nous jouons à cache-cache parmi les meubles ou au chat dehors avec les jeunes domestiques. Mais un incident déplaisant m'a donné bien du souci. Hier, après notre jeu, Pierre est venu me retrouver dans mes appartements. Il s'est mis à sautiller en tapant des mains comme à son habitude quand il gagne.

Tout à sa joie, il a malencontreusement heurté le coffret à bijoux de ma mère, qui était posé sur un tabouret. Sa manche s'est prise dans le couvercle et la boîte s'est renversée sur le sol avec tout son contenu : bagues, colliers, bracelets, broches ainsi qu'un marque-page en argent.

Mère était en train d'écrire une lettre à la table voisine. Furieuse, elle a agrippé le bras de Pierre en s'écriant :

– Vous l'avez fait exprès, maudit garnement !

Pierre s'est dégagé avant de rétorquer en russe :

– Madame, vous avez une haleine de chien.

J'ai reculé d'un pas en priant pour qu'elle ne reconnaisse pas le mot « chien » — *sobaka* — mais elle a certainement remarqué le ton de sa voix. Comme elle se ruait sur lui, je me suis interposée. Pour la calmer, je me suis adressée à elle d'une voix douce dans notre langue natale. En guise de réponse, elle m'a giflée !

J'ai éclaté en sanglots.

Voyant ma détresse, Pierre s'est précipité et, un bras autour de moi, il a insulté ma mère de plus belle avec des mots que je ne peux répéter ici. Tous deux jacassaient comme des pies.

Mais deux révélations surprenantes m'ont un peu réconfortée :tout d'abord, le grand-duc m'a défendue comme un ami. Ensuite, il a de la repartie en russe. Il rechigne peut-être à apprendre notre nouvelle langue, mais il en sait plus que ce qu'il veut bien admettre.

Avant le coucher

Notre fenêtre est ouverte. J'entends les stridulations des criquets dans l'herbe et le clapotis d'un ruisseau voisin. Je peux profiter de l'heure tardive car mère joue aux cartes en bas avec le comte et ses amis.

Toute la journée, je me suis efforcée de jouer les intermédiaires entre elle et mon fiancé, mais tous deux sont déterminés à se montrer désagréables envers l'autre. Je ne sais que faire.

Plongée dans la contemplation des étoiles et du croissant de lune, je m'aperçois que je me sens plus proche de Pierre que jamais auparavant. Mon affection pour lui est fraternelle mais sincère. Au moins serons-nous amis quand nous nous marierons.

Je m'aperçois aussi que mon avenir est lié au sien, à ce vaste pays, et non à ma mère. Même si je ne cesserai jamais de lui témoigner du respect, mes efforts se concentreront sur la Russie et sur mon désir de plaire à l'impératrice.

Une question me taraude... Quand notre mariage aura-t-il lieu ? Personne ne semble le savoir.

Un après-midi au bord de la rivière

Si j'ai perdu la notion du temps, je peux au moins consigner dans ces pages que l'impératrice est arrivée il y a quelques jours avec sa cour. Nous l'avons attendue pendant trois semaines !

Maintenant que Sa Majesté impériale est ici, les soirées sont rythmées par la danse et les jeux d'argent, et les dames de compagnie rivalisent d'élégance. Leurs rires tonitruants mêlés à la musique retentissent jusqu'aux premières heures de l'aube. Ce n'est que lorsque tout le monde a bu trop de vin que je peux me faufiler jusqu'à ma chambre sans attirer l'attention.

Ce matin, au cours du petit déjeuner, un page est entré dans la véranda avec un message de l'impératrice. Demain nous partons pour Kiev. Au lever du jour, toute la cour — nos attelages, chariots, serviteurs, soldats, chevaux et notre bétail – devra se rassembler pour la suite du périple.

J'ai l'impression d'être une vagabonde, un oiseau sans nid. Comment vais-je trouver mes marques en Russie si nous allons sans cesse d'un endroit à l'autre ? Le seul avantage que je trouve à ce nouveau branle-bas de combat, c'est qu'ainsi je peux mieux connaître ce pays et ses habitants.

À titre de parenthèse, il fait encore plus chaud ici qu'à Moscou. Un ambassadeur m'a dit que nous sommes quasiment situés sur le même méridien que Paris, une ville réputée étouffante en été.

30 août 1744, Kiev

Hier l'impératrice, Pierre et moi-même avons traversé le fleuve Boristhène à pied en empruntant un pont de bois. Certaines planches assez espacées offraient une vue plongeante sur l'eau en dessous. J'ai avancé prudemment pendant la traversée, nerveuse à l'idée de tomber, mais l'impératrice quant à elle marchait la tête haute, comme si elle était souvent passée par là. Je n'avais pas compris jusqu'alors que ce voyage était pour elle un autre pèlerinage.

Les membres du clergé, qui portaient des bannières, des icônes et un grand crucifix en argent, nous attendaient à l'entrée de la ville pour nous conduire au monastère Petcherski. Les prêtres et les moines chantaient la liturgie, leurs voix pareilles à un faible bourdonnement. Dans l'église, sur l'un des murs, se trouve une représentation de la Vierge, œuvre miraculeuse de saint Luc, m'a-t-on dit. Les fidèles viennent de partout dans l'espoir que la Sainte Mère accomplira un miracle pour eux.

Nous avons suivi la croix en procession lente et austère. Le soleil tapait sur nos têtes. J'étais mal à l'aise dans ma robe épaisse trop serrée à la taille et mes chaussures étaient pleines de sable à force de piétiner dans la poussière. Je regrettais de ne pas avoir pu me rafraîchir en descendant de voiture mais, tout en pestant intérieurement, j'ai remarqué la foule qui nous observait :

des mendiants, paumes tendues, et des paysans avec femmes et enfants. Ils s'étaient rassemblés par centaines le long de notre route. J'ai également noté la présence de nombreux pèlerins qui nous souriaient et chantaient des hymnes ; selon toute apparence, ils avaient parcouru des kilomètres pendant des jours entiers pour atteindre cet endroit sacré.

Ce spectacle m'a mise dans l'embarras car la plupart de ces gens portaient des haillons et leurs visages étaient faméliques.

Je me demande ce que pense Sa Majesté impériale de la famine et des conditions de vie misérables de ses sujets. Sur le moment, son regard ne trahissait qu'une détermination terrible, mais sur quoi porte cette détermination, je ne le sais pas.

Une fois parvenue dans la fraîcheur du sanctuaire, il a fallu quelques instants à mes yeux pour s'habituer à la pénombre. Les magnifiques ornements de l'église m'ont laissée sans voix : des statues recouvertes d'or, d'argent et incrustées de pierres précieuses, les cierges, l'encens, les tapisseries. Les vitraux s'élevaient jusqu'aux avant-toits où les pigeons avaient élu domicile. Je les ai entendus battre des ailes quand les hautes portes en bois se sont ouvertes.

8 septembre 1744, Kiev

Tous les jours, le grand-duc et moi-même, nous accompagnons l'impératrice qui tient à visiter une par une toutes les églises, ainsi que les couvents. Comme c'est fatigant de marcher pendant des heures au soleil avec pour seul air une brise légère venue du fleuve... Nous marchons tous les quatre côte à côte : Sa Majesté impériale, Pierre, moi et enfin ma mère. La foule nous suit sans nous quitter des yeux.

Ces obligations religieuses ennuient beaucoup mère, mais elle est contente d'y être conviée. Ni l'impératrice ni mon fiancé ne lui adressent la parole, cependant.

Quand nous avons appris qu'il existait des catacombes sous la ville, Pierre et moi avons demandé la permission de les explorer. L'endroit pourrait se révéler intéressant et nous protéger momentanément de la chaleur.

– Hors de question ! a répondu l'impératrice. C'est un endroit humide et malsain.

Les après-midi sont chauds mais on sent que l'automne arrivera bien assez tôt. Chaque jour, le soleil descend un peu plus bas dans le ciel. L'air nocturne se rafraîchit : maintenant, lorsque je sors, je drape un châle sur mes épaules.

Je suis fatiguée, je ne vais pas tarder à aller me coucher. J'ai dîné seule dans ma chambre d'une soupe de betteraves et de pain noir frotté d'huile. Ensuite, une femme de chambre m'a apporté une gaufre saupoudrée de sucre.

Une dernière pensée

Aux yeux des paysans, l'impératrice est une femme pieuse. Lorsqu'ils rentrent dans leurs masures, la plupart sont loin de s'imaginer qu'elle devient tout l'inverse de cela lorsque le soleil se couche.

Sa Majesté aime organiser des dîners, des danses, des jeux de cartes et des concerts. L'autre soir, nous avons assisté à une représentation théâtrale en plein air, dans la « loge » royale, une tente ouverte sur un côté. Nous avons eu droit à des chœurs, à un ballet puis à un monologue suivi d'une pièce qui n'en finissait pas, si bien que l'impératrice a ordonné aux comédiens de s'interrompre à deux heures du matin !

Des feux d'artifice ont clos la soirée. Le ciel s'est illuminé de couleurs. Malheureusement, les explosions ont effrayé les chevaux qui se sont enfuis au galop, déchirant au passage les bannières et les drapeaux, brisant des chaises et renversant des tonneaux de vin. Je ne sais pas s'il y a eu des blessés, mais j'ai entendu une femme pleurer.

Le lendemain

Ce matin, au petit déjeuner, un majordome a annoncé le départ de toute la cour vers le nord : nous regagnons Moscou. Quelle en est la raison ? L'impératrice Élisabeth s'ennuie.

Moscou, je ne suis pas certaine de la date

Pardonne-moi, cher journal, de ne pas avoir écrit pendant toutes ces semaines. Vingt-deux jours brinquebalée par les cahots de la voiture... Je n'avais plus le cœur à décrire ces malheureux villageois.

Le soir

Avec le grand-duc, nous avons repris nos distractions puériles. Cet après-midi, nous nous trouvions dans ses appartements avec plusieurs jeunes domestiques et ses trois nains. Toujours en quête de nouveautés, Pierre a suggéré que nous nous servions du couvercle de son clavecin comme d'un toboggan. Nous l'avons donc détaché du clavier puis calé contre un bureau avec des coussins au-dessous.

Je dois admettre que c'était drôle, même si j'ai dû prendre garde à ce que ma jupe ne se relève pas. Nos cris de joie ont alerté plusieurs chambellans mais ils nous ont laissés poursuivre notre jeu. Au bout de deux heures, j'étais épuisée. J'ai embrassé Pierre sur la joue avant de retourner me reposer dans mes appartements.

C'était un amusement stupide mais j'avais envie de faire plaisir à mon fiancé. Plus je prends part à ses jeux, plus il se confie à moi, semble-t-il. Jusqu'ici, il n'a jamais fait allusion à l'éventualité de régner un jour avec moi sur la Russie. Chaque fois que je parle de ma volonté d'aider les serfs, il change de sujet, préférant les commérages sur les serviteurs et autres intrigues.

Début octobre 1744, Moscou

Les feuilles tombent des arbres en virevoltant comme des papillons jaunes et orange. Quel plaisir de respirer l'air frais et d'admirer tant de beauté ! Cela me rappelle les beaux jours d'automne de mon enfance.

Mais j'ai du mal à profiter de cette journée : l'impératrice est furieuse contre moi ! Oh, cher journal, je ne supporte plus d'être constamment épiée, le moindre de mes mouvements est disséqué !

Voici ce qui s'est passé : grâce à mes nouvelles rentes, j'ai envoyé de l'argent à papa afin de l'aider à prendre soin de mon frère Friedrich. Avec ce même argent, j'ai acquis quelques nouvelles robes — cousues pour moi par un tailleur local — ainsi que des chaussures, des gants, des bas et de menus présents pour mes domestiques. La bague de fiançailles destinée à Pierre constituait la plus grosse dépense.

Eh bien, ce soir au théâtre, de l'autre côté de la scène, dans la loge face à la mienne, j'ai vu l'impératrice en grande discussion avec le comte Lestocq. J'ai compris à son expression qu'elle était en colère. Un moment après, le comte s'est dirigé vers le balcon et, parvenu à la loge où j'étais assise avec le grand-duc, a tiré d'un coup sec le rideau qui protégeait notre intimité.

– Petite dépensière, m'a-t-il dit, qui jette l'argent par les fenêtres comme une reine alors qu'elle n'est qu'une duchesse. Vous voilà déjà débitrice de dix-sept mille roubles. Mais pour qui vous prenez-vous ?

J'ai ouvert la bouche mais aucun son n'en est sorti.

– Même quand l'impératrice avait votre âge, elle ne dépensait pas ainsi l'argent des autres, a-t-il poursuivi. Elle était économe et respectueuse. Vous devriez en faire autant.

Puis il est sorti en arrachant presque le rideau au passage.

C'est alors que le pire s'est produit. Pierre s'est tourné vers moi, lui, mon ami ! Il s'est mis à gesticuler afin, j'en suis certaine, que l'impératrice, de l'autre côté de la scène, n'en perde pas une miette.

– En effet, Figchen. Je suis entièrement d'accord avec ma tante, vous dépensez trop.

Sa critique m'a tellement prise au dépourvu que je n'ai pas répondu. Maintenant je comprends qu'il accorde davantage d'importance à ses liens avec l'impératrice qu'à notre amitié.

En revenant dans mes appartements, trop contrariée pour me rappeler quoi que ce soit concernant la pièce, je n'étais pas au bout de mes peines : mère m'a réprimandée elle aussi pour la même faute.

– Figchen, votre inconséquence ne me surprend pas. Voilà ce qui arrive quand on donne trop de libertés à une jeune fille de quinze ans.

Comme je me sens frustrée !

Comment puis-je savoir ce qu'on attend de moi si personne ne vient me l'expliquer ? Je ne savais pas que je devais tenir un budget. Je me sens perdue car, en plus des bourses d'argent, j'ai reçu de l'impératrice des bijoux et autres objets précieux, parfois jusqu'à deux fois dans une même semaine. Aujourd'hui encore, j'ai eu droit à une ravissante petite pendule de trois pouces de haut incrustée d'opales.

Si seulement papa était là pour me conseiller ! Il avait raison, ce n'est pas facile de vivre avec l'impératrice Élisabeth.

Au lit maintenant, sinon je vais me remettre à pleurer. Dans le vestibule, le carillon de l'horloge vient de sonner minuit.

Le lendemain matin

Je mets de l'ordre dans mes affaires et j'ai demandé à ce que tous mes comptes me soient présentés.

Effectivement, je dois dix-sept mille roubles, une somme énorme ! Je ne savais pas que j'étais censée garder trace de mes dépenses. Mais, bonne nouvelle, l'impératrice m'a donné une rente de quinze mille roubles que j'utiliserai pour payer ma dette. Cela signifie que je ne dois plus que deux mille roubles. J'ai d'abord envisagé de vendre un collier ou une broche mais j'ai eu une meilleure idée.

Elle n'a pas dit quand elle me donnera à nouveau de l'argent, si elle est disposée à le faire. Si tel est le cas, je peux prélever sur cette somme de quoi payer le reste de ma dette. Dorénavant je ferai attention à ce que j'achète. Je ne veux plus m'attirer les foudres de ma mère, de mon fiancé et surtout, de l'impératrice, c'est trop angoissant !

Je me sens aussi seule qu'un oiseau perché sur un toit.

Après minuit

Je viens de me laver le visage et d'enfiler ma chemise de nuit. L'endroit le plus confortable que j'ai trouvé à cette heure tardive est mon lit, le dos calé contre des coussins. La chandelle posée sur le plateau à côté de mon flacon d'encre ne va pas durer longtemps — elle ne mesure que deux pouces —, je ne pourrai peut-être pas tout consigner avant qu'elle ne s'éteigne.

Pour commencer... Je suis épuisée après une soirée passée à danser. Mais ce soir, il ne s'agissait pas d'un bal ordinaire.

J'étais habillée en garçon !

Tout a commencé cet après-midi, quand une dame de compagnie m'a remis une invitation à un bal. Cette dernière, rédigée en lettres d'imprimerie d'une élégante régularité, comportait une drôle d'exigence : il fallait porter des vêtements d'homme ! Voilà qui excitait ma curiosité.

– C'est un ordre, Mademoiselle, a expliqué la dame. De Sa Majesté impériale.

Le seul endroit qui me venait à l'esprit pour dénicher pareil accoutrement était la garde-robe de Pierre. Quand j'ai frappé à la porte de sa chambre, il l'a ouverte lui-même et m'a accueillie avec chaleur d'un baiser sur chaque joue, comme s'il n'avait jamais été furieux contre moi.

Lui aussi se posait des questions au sujet de son invitation car il avait l'ordre de se présenter habillé en fille ! En passant son armoire en revue, nous n'avons pas cessé de nous esclaffer. C'est avec une certaine jubilation que je l'ai vu s'empourprer en me demandant de lui prêter mon bonnet et ma jupe à cerceaux.

À l'heure dite, nous étions affublés des vêtements de l'autre... Je lui avais même fardé les joues !

J'ai tant à raconter, mais cette chandelle...

Le lendemain : au sujet du bal masqué

Lorsque le grand-duc et moi-même sommes arrivés dans la salle de bal, nous avons attendu à l'entrée, un peu perdus. Un orchestre venait juste d'entamer une valse. En s'avançant à l'intérieur, nous avons remarqué un homme qui traversait la salle à grandes enjambées pour nous accueillir. Il était grand, d'une beauté frappante. Il portait une perruque poudrée, une redingote, une culotte resserrée au genou et des bas blancs. Les talons de ses souliers noirs lui rajoutaient quelques centimètres et résonnaient lourdement sur le sol comme il approchait.

– Bonsoir, a-t-il dit d'une voix de femme.

C'était l'impératrice !

Alors, en regardant autour de moi, je me suis aperçue que les femmes en robe à cerceaux étaient en réalité des hommes ! Ils semblaient mal à l'aise et leur maquillage dissimulait à grand-peine les traits grossiers de leur visage rasé de frais. Les femmes vêtues de culottes d'homme n'avaient pas meilleure allure à cause de leur poitrine et de leurs hanches larges.

Moi aussi, je me sentais ridicule dans ces vêtements bizarres. Danser m'était difficile. Lorsque la musique s'est élevée, j'ai manqué trébucher en essayant de modifier mes pas pour guider comme un homme. Je n'ai pas du tout apprécié cette soirée mais j'ai joué le jeu pour plaire à l'impératrice.

Pierre, quant à lui, ne semblait pas se soucier de ce que pensait sa tante. Dans un accès de rage, il a déchiré sa jupe et, se débarrassant du cerceau, il l'a envoyé promener dans un coin avant de quitter la salle, furieux.

J'imagine que les autres hommes brûlaient de l'imiter mais n'osaient pas.

De son côté, l'impératrice semblait se délecter de son rôle masculin et de l'embarras de ses invités.

Si elle m'en voulait encore à propos de l'argent, elle n'en a rien montré. À la fin d'une valse, elle m'a entraînée vers le buffet où elle nous a servis du vin rouge. Elle a levé son verre pour porter un toast, l'a fait tinter contre le mien, puis, renversant la tête en arrière, l'a vidé d'un trait.

Après avoir bu mon verre, j'avais la tête qui tournait et maintenant encore, dans mon lit, j'ai mal au cœur.

Mère n'a pas été invitée au bal.

13 novembre 1744, Moscou

Les journées sont froides, venteuses et éclairées d'un pâle soleil. Parfois une odeur de neige flotte dans l'air mais jusqu'ici le sol a gardé sa couleur brune.

Tous les mardis, l'impératrice donne un bal masqué semblable à celui que je viens de décrire. Contrairement aux fêtes costumées de mon enfance, nous ne pouvons pas choisir notre déguisement. Par ordre royal, c'est toujours le même : les hommes s'habillent en femmes et vice versa.

À mon sens, c'est une distraction vulgaire. Je fais ce qu'on me demande mais Pierre s'y refuse.

Ce soir, comme on nous servait une tarte aux noix de pécan pour le dessert, il a murmuré qu'il ne se sentait pas bien. J'ai appuyé ma main contre sa joue. Il était brûlant ! Immédiatement, j'ai fait venir le médecin qui est logé à l'étage en dessous du nôtre.

En toute hâte, les domestiques l'ont transporté jusqu'à son lit et m'ont conduite à mes appartements. On nous a séparés au cas où il serait contagieux.

Le lendemain

Mon fiancé a la rougeole !

Comme je ne l'ai moi-même jamais eue, nous ne sommes pas autorisés à rester dans la même pièce. Sa maladie m'inquiète à cause d'un sinistre souvenir qui remonte à des années. Un automne, pendant les premières neiges, plusieurs enfants de notre village ont contracté la rougeole et, l'un après l'autre, ils sont morts.

Que fera de moi l'impératrice si Pierre vient à mourir ?

Un autre après-midi

La compagnie de mon fiancé commence à me manquer. Je ne lui ai pas parlé depuis plusieurs jours mais ses domestiques m'assurent qu'il est hors de danger. J'espère qu'ils disent vrai.

Aujourd'hui plus que jamais, papa me manque, ainsi que Friedrich et la petite Ulrike. Je me demande ce qu'ils font en ce moment même et j'espère que mon frère est guéri.

19 novembre 1744, Moscou

Ce matin, au petit déjeuner, un écuyer m'a apporté un message disant que le grand-duc n'était plus malade et qu'il souhaitait voir sa grande-duchesse, c'est-à-dire moi.

Imaginez ma surprise quand je suis entrée dans la chambre de Pierre. Ses soldats de plomb étaient alignés sur le rebord de la fenêtre, face au ciel gris. Ses trois nains se tenaient au garde-à-vous, leurs petites jambes dissimulées dans des bottes trop grandes pour elles. Ils nous ont salués, d'abord Pierre, moi ensuite.

– Colonel Catherine ! se sont-ils écriés en chœur.

Pierre m'a appelée de son lit, où il trônait parmi une montagne d'édredons de plume :

– Vous avez été promue, Figchen.

J'ai parcouru la pièce du regard, m'arrêtant sur le général Fitzroy qui, au bout de sa laisse, flairait le sol sous le plateau du petit déjeuner. Sa redingote rouge comportait deux rangées de boutons dorés et sa queue était aussi longue que son corps.

– Promue ?

Je ne trouvais rien d'autre à répondre.

– Entrez, entrez, a-t-il crié. Le jeu vient à peine de commencer.

Nous avons donc passé la journée à jouer à la guerre avec le général Fitzroy et ses troupes.

29 novembre 1744, Moscou

Maintenant que Pierre a recouvré la santé, nous refaisons nos bagages. L'impératrice veut arriver à Saint-Pétersbourg à temps pour y fêter Noël.

Tout le monde est soulagé que le grand-duc se soit remis de sa rougeole, et moi en particulier ! J'étais terrifiée à l'idée de ce qui pourrait se produire s'il venait à mourir mais je n'osais pas évoquer mes craintes. Mère s'est suffisamment inquiétée de vive voix pour nous deux lorsque nous étions seules. Elle devenait hystérique quand elle s'imaginait le déshonneur que serait notre exil.

Hélas, cher journal, je n'ai aucune envie de voyager à nouveau, et surtout pas en traîneau. Il fait un froid glacial dehors et le vent hurle comme s'il cherchait par tous les moyens à entrer. Rester au chaud ! L'âtre de ma chambre est d'un tel réconfort !

À Saint-Pétersbourg, il fera encore plus froid car la ville est située plus au nord, au bord de la mer Baltique. Il fait toujours humide près de la mer, et le froid pénètre jusqu'aux os. Cela me rappelle ma patrie : Stettin se trouve aussi au bord de la mer Baltique.

Tout en écrivant à ma table près de la fenêtre, je regarde au-dehors, en bas : la neige s'est amoncelée dans les cours et les rues silencieuses. Elle n'a pas arrêté de tomber depuis l'aube. Si j'ai froid, assise là, avec un édredon de plume jeté sur les épaules, je n'ose imaginer l'état des gardes qui font les cent pas devant les grilles. Vus d'ici, ils ressemblent à de petits animaux avec leurs fourrures.

Enfin, mon lit... mon lit chaud.

18 décembre 1744, Tver

Les jours se confondent. Si je connais la date d'aujourd'hui, c'est parce nous célébrons l'anniversaire de l'impératrice : elle a trente-cinq ans. En quittant Moscou, elle a insisté pour faire halte ici, dans cette ville, afin de fêter l'occasion. Nous y voici, donc.

Nos traîneaux se sont arrêtés devant ce palais à trois heures de l'après-midi, au moment où le soleil se couchait. J'étais tellement transie de froid que deux gentilshommes ont dû m'emmitoufler dans des fourrures avant de me porter à l'intérieur. On m'a préparé un bain chaud sur-le-champ. Des dames, parmi lesquelles ma mère, souffraient terriblement du temps glacial, elles aussi, mais elles ont dû se servir de leurs jambes. Notre convoi était lancé à une telle allure qu'au moins deux chevaux sont tombés raides morts en cours de route.

Nos appartements donnent sur la Volga blanche de gel. Aujourd'hui aucun enfant ne jouait dehors en raison du froid. Un chambellan m'a raconté qu'avec le vent la température descend en dessous de moins vingt degrés.

Je dois reposer ma plume et refermer ces pages. On vient de laisser entrer mère chez moi afin qu'elle prépare ma garde-robe. Elle tient à ce que je mette ma robe bleue ornée d'un col de fourrure. La fête commence dans une heure.

Après mon bain, un domestique m'a confié qu'au cours du dîner mère sera assise à une autre table que la mienne avec des dames de la cour. J'espère que nous n'aurons pas droit à une autre scène.

Avant le coucher

Enfin un moment de calme ! La fête de l'impératrice était aussi bruyante que de coutume, avec des danses et de la musique, des jeux de cartes et des éclats de rire. Mais Pierre ne s'est pas joint à nous. Il était pâle, ne riait pas, il ne m'a pas taquinée comme à son habitude, et cela m'inquiète.

Je dois aller me coucher maintenant. Demain, nous partons aux aurores pour Shatilovo qui se trouve à mi-chemin de Saint-Pétersbourg.

Nous voici à Shatilovo

Un drame s'est produit !

En arrivant, j'ai regardé Pierre descendre de son traîneau devant nous. Au bout de quelques pas, il s'est écroulé dans la neige ! Deux soldats se sont précipités pour le porter à l'intérieur. Sans même prendre ma fourrure, j'ai couru derrière eux.

En haut de l'escalier, un chambellan m'a empêchée d'entrer dans la pièce où ils l'avaient transporté.

– Le grand-duc est fiévreux, Votre Altesse, et il est couvert de boutons. Nous avons ordre de vous tenir à distance au cas où il serait contagieux.

Des serviteurs nous ont indiqué nos appartements, à mère et à moi ; je me sentais très abattue. À présent j'écris sur une petite table devant la cheminée. Un chat jaune, installé sur mes genoux, me tient compagnie. Il ronronne comme si nous étions de vieux amis, ce qui me réconforte. Le dîner sera servi dans quelques minutes et je dois encore m'habiller.

Pauvre Pierre. Je sais à quel point c'est triste d'être malade, d'autant plus qu'il vient à peine de se remettre. Et que signifient ces boutons ? Une autre rougeole ?

J'ai oublié de préciser que le traîneau de l'impératrice s'est arrêté le temps de changer les chevaux, puis elle a repris la route avec son entourage. Aussi longtemps que le ciel sera clair, ils voyageront dans la nuit froide et interminable.

Elle ne sait pas que le grand-duc est malade.

Le lendemain soir, Shatilovo

Cher journal, les nouvelles sont fort mauvaises.

Ce matin, après le petit déjeuner, je suis allée chercher mère dans sa chambre pour rendre visite à Pierre. Un garde posté devant sa porte nous a demandé d'attendre dans le vestibule. Au bout d'un moment, le médecin de la cour est sorti, l'air lugubre.

Son diagnostic m'a glacé le sang. J'ai cru que mon cœur allait s'arrêter de battre.

– C'est la petite vérole.

J'ai senti mes genoux se dérober sous moi. Il m'a rattrapée avant que je m'effondre sur le sol.

La petite vérole.

Une horrible maladie. Comme la peste, elle est presque toujours fatale.

Il est maintenant plus de minuit mais je n'ai pas le cœur à dormir. Mère a été si choquée par cette nouvelle qu'elle s'est évanouie et a dû être transportée dans son lit, où on lui a administré une dose de laudanum. Nous voilà seules dans cet immense pays gelé, sans amis et sans avenir, peut-être.

Des messagers ont été envoyés au galop pour rattraper l'impératrice. Elle doit être informée aussi vite que possible que son neveu ne passera peut-être pas Noël.

Huit heures plus tard

Lorsque mère a émergé de son sommeil drogué, elle s'est présentée d'elle-même chez moi pour m'informer que nous partons demain à l'aube. Elle a déjà donné la consigne afin que les chevaux, le traîneau et nos domestiques soient prêts à quitter les lieux. Comme l'impératrice n'est pas là, mère peut agir à sa guise.

– Figchen, nous ne pouvons pas risquer une contamination.

Puis elle m'a rappelé que son frère est mort de la petite vérole alors qu'il était fiancé à l'impératrice Élisabeth : c'est la raison pour laquelle Sa Majesté impériale en est venue à me préférer aux autres jeunes filles lorsqu'elle s'est mise en quête d'une épouse pour le grand-duc. Je suis une parente de son cher fiancé défunt.

Hélas, cher journal, une fois de plus je vais me coucher avec le cœur gros. Encore un voyage ! Dehors, il fait un froid mordant. Tout l'après-midi, le ciel était gris avec des rafales de vent et de neige.

Je crains que mère n'aille trop loin. Du fond du cœur, je voudrais rester aux côtés de Pierre : après tout, c'est mon futur mari ! Ma poitrine se serre à l'idée que nous ne nous reverrons peut-être plus jamais. Que fera l'impératrice quand elle découvrira que mère a désobéi à ses ordres ?

Quelques jours plus tard,
Saint-Pétersbourg

J'ai perdu la notion du temps.

Bien des soucis me rongent. Tout d'abord, la santé de Pierre, mais aussi ce que l'impératrice doit penser de moi.

Voici ce qui s'est passé : pendant le trajet, notre convoi a dû s'arrêter brusquement. En tirant le rideau pour regarder au dehors, j'ai aperçu, venant de la direction opposée, le traîneau de l'impératrice, qui a ralenti avant de s'arrêter à son tour. Ses soldats ont questionné nos cochers puis, après un claquement de rênes, le traîneau royal s'est avancé pour s'arrêter au niveau du nôtre, mais pendant un bref moment seulement, juste le temps que l'impératrice nous jette un regard furieux.

Vinovata, Matushka, ai-je murmuré. C'est ma faute, Madame.

Puis le rideau s'est refermé et son convoi a repris la route vers le sud. Ayant reçu des nouvelles de Pierre, elle rentrait à Shatilovo afin de prendre soin de lui.

Bien que l'impératrice ne nous ait pas dit un mot, son air déçu ne laissait aucun doute. Peut-être pense-t-elle que j'ai abandonné mon fiancé, et c'est effectivement le cas ! Son propre fiancé étant mort de la petite vérole, elle ne me pardonnera peut-être jamais.

Comme j'ai le cœur lourd !

Bien que j'aie accepté de partir avec mère pour Saint-Pétersbourg, elle aussi est furieuse contre moi ! Ce matin, je me trouvais dans la bibliothèque, assise à une table près de la fenêtre. Il neigeait un peu. La lumière blanche qui se reflétait sur les carreaux éclairait la lettre que j'étais en train d'écrire à Pierre. J'essayais de m'exprimer en russe, car je savais que l'impératrice lirait cette lettre, elle aussi.

Quand mère a exigé de savoir ce qu'elle disait, j'ai hésité. Par habitude, je réfléchissais en français, et je devais maintenant traduire les mots russes en allemand pour qu'elle comprenne ! Avant que j'aie pu lui expliquer quoi que ce soit, elle m'a giflée avec violence.

– Petite ingrate ! s'est-elle écriée. Comment pouvez-vous dissimuler la vérité à votre propre mère ?

Je n'ai pas pu retenir mes larmes. Sans ajouter un mot, elle a quitté la pièce dans un bruissement d'étoffe.

Veille de Noël 1744, Saint-Pétersbourg

Une lettre signée de l'impératrice est arrivée aujourd'hui pendant que je prenais le thé avec mes dames de compagnie. Je me suis précipitée vers une fenêtre et, après avoir déchiré le sceau, je me suis empressée de la lire. Fort heureusement, elle était rédigée en français et non en russe.

J'ai été soulagée d'apprendre que mon fiancé est toujours en vie, bien qu'il délire encore et que la fièvre persiste. L'impératrice n'a pas quitté son chevet. Elle a fait installer un lit près du sien, où elle fait un somme quand il arrive à s'endormir. En dépit de sa vanité, elle ne craint apparemment pas de contracter à son tour cette terrible maladie et de se retrouver défigurée. J'admire son courage.

Je m'attendais à ce qu'elle me reproche de ne pas être restée à Shatilovo ; au lieu de quoi, elle me félicite pour mes progrès en russe. Je me demande si elle sait que mon précepteur a corrigé ma grammaire ô combien désastreuse !

Nous logeons dans le palais d'Hiver, un endroit sinistre. Les salles n'ont pas été décorées pour Noël, et personne n'a prévu de banquet pour l'occasion. C'est comme si nous vivions une semaine de décembre comme une autre : grise, froide, sans joie.

La Russie me semble bien triste comparée à ma patrie.

Jour de Noël 1744, Saint-Pétersbourg

Nous avons eu droit à une petite fête, finalement. Mère a offert à nos dames des boucles d'oreilles en perles, et moi j'ai reçu un portrait d'elle assez petit pour tenir dans la main. Il a dû être peint du temps où nous vivions à Zerbst, car je n'ai vu aucun peintre dans les parages.

– Pour que tu te souviennes de moi, a-t-elle dit pendant que je déchirais le ruban et le papier.

J'ai ravalé mes larmes, sachant que ces jours passés auprès de ma mère ne seront bientôt qu'un souvenir.

Je me trouve maintenant dans ma chambre, près du feu. Cher journal, je ne m'arrête plus de pleurer. Si Pierre meurt de la petite vérole, comme tant d'autres avant lui, je serai renvoyée chez moi.

S'il survit, nous nous marierons, et mère devra alors quitter la Russie. Bien qu'elle soit désagréable, elle reste ma mère et elle me manquera.

Le cadeau de l'impératrice

Imaginez ma surprise quand un valet s'est présenté chez moi cet après-midi avec un panier qui selon toute apparence contenait quelque chose de vivant ! En soulevant le couvercle, j'ai trouvé un petit épagneul anglais qui me regardait en remuant la queue.

Je suis folle de mon nouveau compagnon ! Mes dames ont déjà commencé à lui coudre des vêtements miniatures afin qu'on puisse le déguiser. Cette adorable petite boule de poils a rompu la monotonie de l'hiver. Je l'ai baptisé Ivan Ivanovitch d'après ce diplomate qui, comme lui, a des cheveux noirs bouclés et des yeux sombres.

1er janvier 1745, Saint-Pétersbourg

Il y a un an jour pour jour, j'étais assise dans la salle à manger de Zerbst en compagnie de mes parents, de mon frère et de ma petite sœur. Il neigeait au-dehors quand la mystérieuse lettre est arrivée.

Et maintenant me voilà assise à la fenêtre d'un palais russe, fiancée à mon cousin qui est peut-être en train de mourir de la petite vérole. Mère s'est mis presque tout le monde à dos, et papa n'a pas le droit de venir me voir. J'ai un nouveau nom, une nouvelle religion, un nouveau titre. Des diamants ornent mes doigts, et un jour je deviendrai peut-être impératrice de Russie.

Jamais je n'aurais pu imaginer pareil destin.

Le soir, quand je vais me coucher, Ivan Ivanovitch se roule en boule sur l'oreiller à côté de moi. Je lui confie mes secrets, et il remue la queue comme s'il comprenait chacun de mes mots. Il est aussi petit que le général Fitzroy mais bien plus doux à caresser.

3 janvier 1745, Saint-Pétersbourg

Je suis en train d'écrire un livre ! En fait, il s'agit seulement d'un pamphlet qui rassemble mes pensées et mes observations. Il s'intitule *Portrait d'une philosophe de quinze ans*. Je l'enverrai peut-être à ma petite sœur, Ulrike, quand elle apprendra à lire.

Malgré le froid, ce matin je suis sortie prendre l'air, vêtue de ma chaude pelisse et de l'étole offertes par l'impératrice il y a près d'un an. J'ai emmitouflé mon chiot dans un manchon de fourrure et je l'ai serré fort contre ma poitrine pour qu'il n'ait pas froid. Seule sa truffe noire sortait de temps à autre pour flairer l'air. Pendant que je marchais, la neige craquait sous mes bottes et mon souffle faisait de la buée. Sentir la lumière ténue du soleil sur mon visage m'a remonté le moral bien plus que je ne l'aurais cru possible et je suis remontée dans ma chambre, le cœur gonflé d'un optimisme tout neuf.

Et avec une nouvelle résolution.

Je vais continuer à étudier le russe comme si j'étais toujours destinée à gouverner ce pays, et à lire autant de livres que possible. Si le grand-duc meurt, je veux que l'impératrice Élisabeth me considère comme une compagne digne d'elle. J'aurai tout intérêt à lui parler de culture et de politique.

Peut-être ne me renverra-t-elle pas, après tout.

Après un après-midi passé dans la bibliothèque du palais

Sur l'une des étagères, derrière une vitre, j'ai trouvé deux textes anciens traduits en français. Il s'agit des célèbres discours de Cicéron et des *Vies des hommes illustres* de Plutarque. J'ai rapporté aussi un autre volume, publié en 1734, qui se trouve maintenant sur mon bureau : *Considérations sur les causes de la grandeur des Romains et de leur décadence* par Montesquieu.

J'adore l'histoire ! J'apprends que les grands dirigeants de ce monde font eux aussi des bêtises.

Le lendemain

Encore de la neige. Le fleuve est gelé. On m'a dit qu'il s'écoulera au moins trois mois avant que les bateaux ne puissent naviguer à nouveau dans le port de Saint-Pétersbourg. Comme l'hiver est long !

Chaque jour pendant des heures, je lis près de la fenêtre, pendant qu'Ivan Ivanovitch somnole sur un coussin près de moi. Ce matin, je l'ai affublé d'un costume de marin bleu et blanc avec un minuscule bonnet qui comporte des trous pour laisser passer ses oreilles. Au petit déjeuner, je l'ai installé sur la table afin qu'il mange dans une soucoupe. Une fois son repas terminé, il s'est dirigé vers mère. Avant qu'elle n'ait pu le chasser, il a chapardé une saucisse dans son assiette qu'il a traînée jusqu'au centre de la table. Là il s'est mis à la manger en y plantant ses pattes de devant.

Mère, écarlate, a dissimulé sa bouche dans une serviette. Je m'attendais à ce qu'elle s'emporte mais, au bout d'un moment, je me suis aperçue qu'elle riait ! Si mon frère, ma sœur ou moi-même avions volé une saucisse dans son assiette, nous aurions été fouettés. Ivan Ivanovitch ne sait pas à quel point il est gâté.

J'écris à Pierre tous les jours.

15 janvier 1745, Saint-Pétersbourg

Une lettre est arrivée, signée de l'impératrice. Pierre se remet peu à peu de la petite vérole et sera bientôt capable de voyager ! Ils quitteront Shatilovo dans deux semaines. Comme j'ai hâte de le retrouver !

Ce soir, mes dames et moi, nous avons habillé Ivan Ivanovitch en général. Il portait un manteau rouge boutonné sous le ventre et une fausse épée attachée à son flanc. Il a pris l'habitude d'avoir un chapeau noué sous la gueule. Au dîner, son accoutrement a fait la joie des invités, qui étaient au nombre d'une vingtaine. Il semblait beaucoup s'amuser, lui aussi, car, en entendant nos rires, il a levé la tête et s'est avancé sur la nappe blanche comme un général inspectant ses officiers.

20 janvier 1745, Saint-Pétersbourg

Hier soir, un messager nous a annoncé que l'impératrice a prévu de prendre la route dès demain. Pierre étant toujours faible, ils ne voyageront que quelques heures par jour et feront halte à la tombée de la nuit afin qu'il dorme dans un lit bien chaud.

Mère est si soulagée que le grand-duc ait survécu qu'elle a passé la matinée à m'en faire l'éloge. J'étais estomaquée. Maintenant, elle le trouve beau, intelligent et bien éduqué.

– Vous avez tant de points communs.

Par là, elle fait allusion à notre langue maternelle (que nous n'employons pas quand nous sommes ensemble), au luthéranisme (que nous ne pratiquons plus), à notre jeunesse (ce qui sous-entend que nous n'avons aucune expérience en matière d'amour ou de mariage), et à nos titres royaux (ce qui signifie que les gens ne chercheront qu'à s'attirer nos faveurs).

À mon avis, mère veut seulement s'assurer que je ne changerai pas d'avis en revoyant Pierre.

– La petite vérole laisse des cicatrices, m'a-t-elle dit. Je sais cela.

1er février 1745, Saint-Pétersbourg

Ce matin, après le petit déjeuner, on a entendu un grand remue-ménage en provenance de la cuisine. Je venais de reposer par terre Ivan Ivanovitch qui avait terminé le contenu de sa soucoupe. L'instant d'après, il s'est échappé de dessous ma chaise et a disparu au coin de la pièce. Je l'entendais trottiner et glisser sur le sol en marbre du vestibule. Mais, soudain, il y a eu un bruit de casseroles puis des cris de femmes.

Je me suis précipitée vers la cuisine, que j'ai trouvée sens dessus dessous : çà et là gisaient des marmites et des tabourets renversés. Les aboiements féroces de mon chiot me parvenaient du garde-manger : à l'intérieur, il avait déniché un rat gros comme lui.

Ce n'était pas un rat docile avec un collier et une redingote rouge comme le général Fitzroy, non, celui-là était nuisible, sale et décharné. Ses babines retroussées découvraient des dents pointues prêtes à mordre. J'ai attrapé Ivan par la queue et je l'ai traîné hors du garde-manger. Entre-temps, le rat avait disparu sous un meuble.

L'un dans l'autre, c'est l'événement le plus excitant qui se soit produit cet hiver.

Dans un registre plus calme, j'écris mon « livre » en français et j'ai déjà rédigé une vingtaine de pages. Quand j'aurai fini, j'en ferai une copie en allemand afin que Ulrike et Friedrich puissent le lire.

Encore une nuit agitée

C'est le cœur gros que j'écris ces lignes. Une servante vient de rabattre l'édredon de mon lit et de remplir une cuvette d'eau chaude afin que je me lave le visage, mais ma détresse est si grande que je ne pourrai pas fermer l'œil.

L'impératrice et le grand-duc sont rentrés aujourd'hui. Cet après-midi à quatre heures, j'ai été convoquée dans la grand-salle. Je me suis étonnée de l'obscurité qui y régnait : seules quelques chandelles avaient été allumées.

La vue de Pierre, dissimulé dans l'ombre, m'a coupé le souffle. Affublé d'une perruque trop grande pour lui, il était d'une maigreur cadavérique. Mais c'était son visage qui m'empêchait de m'approcher. Je ne pouvais pas me résoudre à l'embrasser.

– Bonjour, Figchen, a-t-il lancé d'une voix rauque.

Je regrette à présent de m'être enfuie sans avoir été capable d'articuler un son.

Depuis je n'ai pas quitté ma chambre. Mon dîner est resté intact sur son plateau, à côté de mon lit.

Pierre fait pitié à voir, il est défiguré. La petite vérole a creusé de profonds sillons dans son visage, larges comme des pièces de monnaie. J'ai honte de l'avouer mais je ne sais pas si j'aurai le courage de l'épouser.

Comme papa me manque ! J'aimerais qu'il soit ici avec mon frère et ma sœur, et qu'ils m'aident à retrouver l'insouciance de mon enfance.

Le lendemain matin

L'impératrice m'a dispensée de mes obligations officielles et autres banquets afin que Pierre et moi puissions nous réaccoutumer l'un à l'autre, mais jusqu'ici nous n'avons pas échangé un mot. Il refuse de paraître en public. Je ne sais comment me faire pardonner de l'avoir rejeté.

Je suis assise à mon écritoire tandis qu'Ivan Ivanovitch, installé à mes pieds, remue la queue en me fixant du regard comme pour essayer de me réconforter. Il n'y a pas d'ami plus loyal qu'un chien qui vous aime !

9 février 1745, Saint-Pétersbourg

Il y a un an jour pour jour, mère et moi sommes arrivées dans cette ville glaciale. J'avais alors plein d'espoir en l'avenir. Maintenant je ne suis plus sûre de rien.

10 février 1745, Saint-Pétersbourg

Aujourd'hui le grand-duc a dix-sept ans. J'ai dîné seule avec l'impératrice car il a refusé de quitter sa chambre. Je suis passée le voir pour prendre de ses nouvelles mais il était si occupé à jouer avec ses soldats de plomb et le général Fitzroy (qui étrennait une nouvelle redingote, bleue celle-là), qu'il ne m'a même pas adressé un regard.

Au cours du dîner, l'impératrice m'a parlé en russe, ne tarissant pas d'éloges sur mes progrès de compréhension.

– Vous êtes jolie, mon enfant, a-t-elle dit, et vous embellissez de jour en jour.

Elle m'a encore complimentée sur mon russe bien que je m'exprime avec lenteur. Dans la plupart des cas, je dois d'abord formuler les phrases dans ma tête, les traduire, puis m'efforcer de les prononcer correctement.

Les domestiques et les courtisans ont remarqué les attentions de l'impératrice et, depuis, ils me traitent avec révérence. Pour un peu, on me lécherait les bottes.

Je suis flattée mais je sais ce qu'elle a derrière la tête. Sa Majesté impériale veut m'attendrir avec ses flatteries (et celles des autres) afin de s'assurer que je reste ici pour toujours. Elle veut que j'accepte de prendre Pierre pour époux.

Elle n'a pas lieu de s'inquiéter. J'ai beaucoup réfléchi cette dernière semaine.

Bien que mon fiancé soit un homme-enfant peu séduisant qui joue encore à la poupée, il est mon avenir. Sans lui je retourne en Allemagne, pauvre et déshonorée. Sans lui je n'ai aucune chance de porter la couronne russe.

Alors je me marierai.

La date du mariage

L'impératrice Élisabeth a opté pour le vingt et un août, dans six mois. D'ici là, la glace aura fondu sur la Neva et les bateaux de marchandises en provenance de tous les ports étrangers pourront traverser la mer Baltique.

C'est le premier mariage royal qui aura lieu à Saint-Pétersbourg. Sa Majesté impériale veut en faire un événement sans précédent. Elle a commandé des bonnets et des jupons à la dernière mode de Paris, ainsi que de la soie de Naples et d'autres tissus qui serviront à la confection de robes et de tentures. Sont également prévus des livrées et des attelages flambant neufs, de la vaisselle d'Allemagne et du linge de table flamand. Auprès des cours de Dresdc et de Versailles, elle a récolté des détails concernant la cérémonie et le protocole des récents mariages d'Auguste III et du Dauphin. Elle a ordonné que soient fabriquées des copies de fauteuils et de chandeliers Louis XV.

Le vingt et un août coïncide avec la fin de l'été et offre la garantie d'un voyage agréable aux dignitaires et monarques invités. L'impératrice Élisabeth m'a annoncé que la liste comprend déjà près de mille convives.

Je n'ai pas osé demander pourquoi mon propre père, mon frère et ma sœur n'ont pas le droit d'y assister.

Un autre jour

Avec l'aide de mes dames, j'ai appris à Ivan Ivanovitch à marcher sur ses pattes arrière. À table, nous lui attachons une serviette autour du cou et nous le laissons manger où bon lui semble. Il aime le pâté de foie de bœuf à la crème. Bientôt il sera gras comme un chanoine. Quand on tape des mains, il se met à danser sur ses deux pattes comme un petit homme. Ce soir, au dîner, il portait une redingote de soie rose et un chapeau de gentilhomme orné d'une plume duveteuse.

1er mars 1745, Saint-Pétersbourg

Il fait toujours froid dehors mais chaque jour, le soleil monte un peu plus haut dans le ciel et chauffe la terre de ses rayons. Le carême approche. N'ayant pas encore acquis l'habitude des rites orthodoxes, je ne sais pas vraiment ce que l'on attend de moi.

17 mars 1745, Saint-Pétersbourg

Nouvelle accablante... J'ai peine à respirer tant elle nous a bouleversées, mère et moi.

Cet après-midi, nous étions seules dans la véranda autour d'un thé et d'une assiette de biscuits. Un chambellan est entré pour remettre une lettre à mère puis il s'est retiré. J'ai reconnu l'écriture de papa : une lettre de Zerbst.

Mère a déchiré le sceau avec enthousiasme et s'est absorbée dans sa lecture. Mais soudain son visage s'est figé. La lettre lui a glissé des mains et elle s'est mise à sangloter.

En me penchant pour ramasser la lettre, j'ai lu les mots ... *petite Ulrike est morte...* Ma gorge s'est serrée et j'ai dû faire un gros effort pour lire le reste.

Papa écrivait qu'elle avait attrapé la même maladie que Friedrich, mais Ulrike était si petite et si fragile qu'elle n'avait pas survécu. Ma petite sœur ! Elle n'avait pas trois ans.

Je ne sais comment consoler mère. Pendant un long moment, nous sommes restées assises au soleil sans rien dire ; puis je me suis souvenue d'Ivan Ivanovitch. J'ai déposé le chiot sur les genoux de ma mère et elle lui a caressé la tête tout en se laissant lécher le visage. Il s'est blotti dans son cou et l'a laissée sangloter contre lui.

– Merci, Figchen, a-t-elle dit.

À ce moment-là, je l'ai aimée plus que jamais.

Le lendemain

Mère se lamente de ne pas avoir pu assister aux funérailles de ma sœur. Bien entendu, le temps que la lettre de papa nous parvienne, cette triste cérémonie avait déjà eu lieu. Je ne l'ai pas vue aussi abattue depuis la mort de mon frère Wilhelm.

Le docteur veut que je boive du lait mélangé à de l'eau de Seltz tous les matins afin de prendre des forces. Le goût de cette mixture est pire que celui de la vodka mais je fais ce qu'on me dit.

Pâques est arrivé puis reparti...

Je t'en prie, cher journal, pardonne-moi de t'avoir délaissé. La mort de ma sœur a jeté une ombre sur les cérémonies religieuses du carême, du vendredi saint et de Pâques. J'ai observé les rites à la lettre mais sans grand enthousiasme. Il me faudra du temps, j'en suis sûre, pour penser à Ulrike sans pleurer.

Mère et moi, nous nous sommes rapprochées pendant ces dernières semaines au cours desquelles nous avons beaucoup marché dans les jardins verdoyants. Le printemps sera là d'un jour à l'autre, il est dans l'air. Les oiseaux gazouillent dans les arbres au-dessus de nos têtes, la glace sur le fleuve prend des teintes brunes comme la neige fondue se mêle à la terre.

Une certaine paix s'est installée entre nous, même si je garde à l'esprit que nous devrons nous séparer dans trois mois. La date de mon mariage approche.

24 mars 1745, Saint-Pétersbourg

Aujourd'hui l'impératrice m'a dit que je parlais russe couramment !

J'ai protesté en alléguant mon accent et mon vocabulaire limité, mais elle a répliqué :

– Sottises, mon enfant ! Si vous êtes capable de vous exprimer et de comprendre ce que les autres disent, alors vous parlez couramment. Ne vous occupez pas de votre accent.

Désormais, à chaque fois que nous dînons ensemble ou que nous nous retrouvons dans la cour, nous ne conversons qu'en russe. J'ai l'impression d'être sa fille tant elle me témoigne de l'affection.

Pierre quant à lui comprend notre nouvelle langue mais répond toujours en allemand. Sa nonchalance me frustre. Comment pouvons-nous devenir proches s'il s'en moque ? Tout le monde sait qu'il boit beaucoup de vin et d'alcools forts.

Cher journal, je ne suis pas pressée de passer le reste de ma vie avec un étranger.

21 avril 1745, Saint-Pétersbourg

C'est mon seizième anniversaire.

L'impératrice m'a offert un cadeau utile : huit servantes russes, toutes plus ou moins du même âge que moi. Son but est de me faire pratiquer le russe jour et nuit. Elle pense que je ne progresserai qu'en évitant au maximum d'employer l'allemand, que je parle avec ma mère quand nous sommes seules.

Deux de mes servantes sont des naines. Elles m'arrivent à la poitrine et portent d'adorables petites chaussures qui ressemblent à celles des poupées. Leur tâche consiste à s'occuper de mes poudres, fards, peignes, épingles à cheveux et mouches : ces minuscules taches noires, pareilles à des grains de beauté, que les dames de la cour se collent sur le visage pour faire ressortir la pâleur de leur teint. Elles servent aussi à dissimuler défauts et autres marques de vérole. Bien que j'en possède une pleine tabatière, je n'aime pas me coller sur le visage des choses qui ressemblent à des insectes et en portent le nom !

Les autres domestiques sont chargées de prendre soin de ma garde-robe, de mes rubans, sous-vêtements, dentelles et bijoux. Elles doivent également vérifier que mes meubles sont astiqués régulièrement. Toutes les neuf, nous formons un groupe bavard et joyeux. L'impératrice ne le sait pas encore, mais nous aimons nous enfermer dans mes appartements pour jouer à colin-maillard. Ivan Ivanovitch prend part à nos jeux, aboyant et nous poursuivant comme s'il était le chef.

J'adore être entourée de jeunes filles amusantes ! Et c'est stimulant de n'entendre parler que russe. La nuit, les mots s'immiscent dans mes rêves.

3 mai 1745

Mère et moi, nous séjournons au bord de la rivière Fontanka, dans une petite maison de pierre qui jouxte la vieille demeure de Pierre le Grand. À quelque distance se trouve un palais d'été où l'impératrice et mon fiancé ont élu domicile. Cette bâtisse ne peut être utilisée que quelques mois dans l'année car elle ne possède pas de cheminée et ne peut donc pas être chauffée. Les nuits sont encore fraîches mais les plumes d'oie de mon édredon me tiennent chaud.

On a déjà pris mes mesures pour ma robe de mariée, suite aux instructions de l'impératrice. Des artistes lui exposent leurs idées, puis ses dames apportent les croquis aux tailleurs qui viennent ensuite chez moi. Je dois rester immobile pendant une heure d'affilée pendant qu'ils prennent des mesures, posent des épingles et drapent des échantillons de tissu autour de mon corps.

Le tissu proprement dit n'est pas encore arrivé, mais d'après les croquis, je porterai une élégante robe de brocart argenté à la mode espagnole, c'est-à-dire avec des manches courtes, une taille ajustée et une jupe ample à la manière des tableaux de Vélasquez. Nouée sur mes épaules, une cape de dentelle argentée rehaussée de nombreuses pierreries, cadeaux de l'impératrice, complétera ma tenue. Les coutures seront rebrodées de roses d'argent.

J'ai dans l'idée que ma robe sera extrêmement lourde et, le jour de mon mariage, je vais devoir la porter pendant des heures ! Au moins, les manches courtes me préserveront un peu de la chaleur.

Pierre sera vêtu de blanc bien que je n'aie pas vu les croquis.

Les domestiques m'ont révélé que la robe de l'impératrice, en soie marron d'Italie, sera aussi d'inspiration espagnole. J'ignore pourquoi Sa Majesté impériale a jeté son dévolu sur la mode et les tissus de ces pays lointains.

Mère n'a bénéficié d'aucune aide pour sa garde-robe. Cependant, on lui a donné l'ordre de ne pas mettre de noir. Le vingt et un août, elle devra prétendre qu'elle ne porte plus le deuil d'Ulrike.

Une chaude journée de printemps

L'impératrice ne m'autorisera probablement pas à emmener Ivan Ivanovitch le jour de mon mariage. Quand bien même j'ai griffonné dans ce journal un dessin de mon petit chien en habit de gentilhomme avant d'arracher la page. Après l'avoir vu, mes dames m'ont promis de lui coudre une tenue avec les chutes de tissu. La redingote argentée fera ressortir son pelage noir et, bien entendu, il aura droit à un chapeau du dernier chic français. À mon avis, il aurait fière allure avec une lavallière autour du cou.

18 mai 1745, Peterhof

Cher journal, je te demande pardon, deux semaines se sont écoulées sans que j'aie écrit une ligne. Nous avons encore déménagé ! Le palais que nous occupons à présent a été commandé par Pierre le Grand ; il est situé sur la côte à près de trente kilomètres au sud de Saint-Pétersbourg et il offre une vue grandiose sur le golfe de Finlande. Les petits bateaux de pêche ressemblent à des jouets perdus dans l'immensité marine. De temps à autre, un voilier vogue vers le port.

L'impératrice est partie visiter l'un de ses monastères. Je suis soulagée qu'elle ne nous ait pas obligés à l'accompagner. Elle a décrété que c'était l'occasion pour Pierre et moi de nous reposer car, après notre mariage, nous aurons beaucoup d'obligations.

J'adore cet endroit. Nous dînons dehors sous une marquise. La brise marine nous épargne moucherons et autres moustiques. Je me détends, bercée par le clapotis des vagues qui viennent se briser sur le rivage et lèchent la plage de galets avant de se retirer dans un bouillonnement d'écume.

Je fais de longues promenades dans les dunes en compagnie du grand-duc ou de ma mère (jamais les deux ensemble). J'attends avec impatience le retour des aurores boréales. Quand les couleurs réapparaîtront, j'essaierai d'entraîner mon fiancé au-dehors afin que nous allions les admirer ensemble.

Plus tard

Je suis assise sur une couverture dépliée à même le sable chaud. Le vent ne cesse de m'arracher mon chapeau, que j'ai dû nouer sous le menton avec un ruban. Les mouettes décrivent des cercles au-dessus de nous tandis que Pierre leur jette des miettes de pain. Pour moi, leurs cris sont la plus belle des musiques, celle de la liberté.

Pierre m'appelle, je dois poser ma plume et mon encre. Il a remarqué qu'en se retirant, la marée a laissé des flaques que nous pouvons explorer. Je dois refermer ces pages pour l'instant, cher journal.

Je vais rejoindre Pierre.

POUR ALLER PLUS LOIN

ÉPILOGUE

Le 21 août 1745, à trois heures de l'après-midi, un cortège de cent vingt voitures escorta Catherine et Pierre jusqu'à la cathédrale de Kazan. Leur attelage tiré par huit coursiers blancs était protégé par des dignitaires chevauchant au pas. Une foule d'observateurs rassemblés le long des rues de Saint-Pétersbourg tombèrent à genoux au passage du jeune couple élégamment vêtu. La cérémonie religieuse dura plusieurs heures et les réjouissances se prolongèrent pendant dix jours.

Un mois plus tard, la mère de Catherine quitta la Russie. La princesse d'Anhalt-Zerbst, qui voulait épargner à sa fille une scène douloureuse, se leva avant l'aube et partit sans faire ses adieux. Lorsque Catherine découvrit les appartements vides de sa mère, elle éclata en sanglots. À ce moment elle se sentit plus seule que jamais.

Pour Catherine, la vie à la cour de Russie ressemblait à une prison. Non seulement son mariage était un désastre mais chacun de ses mouvements était épié et critiqué. Elle n'avait plus le droit de jouer avec ses servantes et les gens avec lesquels elle se liait étaient bientôt déportés ou employés au service de quelqu'un d'autre. L'impératrice Élisabeth lui interdit d'écrire des lettres à ses parents sans avoir au préalable soumis leur contenu à la censure du ministère des Affaires étrangères, l'obligeant à recopier des « missives formelles », mot à mot.

Des années plus tard, Catherine consigna ces expériences dans ses mémoires : « En somme, un millier d'horreurs dont j'ai oublié la moitié... J'ai mené une existence qui aurait fait perdre la tête à une dizaine de femmes et une vingtaine d'autres y auraient laissé leur vie, le cœur brisé. »

QUE SONT-ILS DEVENUS ?

En 1762, l'impératrice Élisabeth mourut et le règne de Pierre III, l'époux de Catherine, débuta. Il fut de courte durée. Il est vrai que l'une des premières mesures du nouvel empereur fut de signer un traité de paix avec le roi Frédéric II de Prusse, mettant fin à l'implication de la Russie dans la guerre de Sept Ans. Toutes les terres conquises à cette occasion furent rendues à la Prusse. La profonde admiration de Pierre pour ce pays scandalisa les généraux de l'armée russe qui avaient subi de grandes pertes au cours du conflit.

Catherine, elle, craignait pour sa vie. Elle soupçonnait Pierre de vouloir la bannir ou la faire assassiner afin d'installer sa maîtresse sur le trône. En juin 1762, la jeune femme organisa un coup d'État avec l'aide des chefs militaires et religieux. Le tsar refusa de se battre pour conserver sa couronne et mourut six jours plus tard en réclusion, prétendument à la suite d'une dispute avec ses gardes, mais plus vraisemblablement assassiné par un proche de Catherine. Ainsi débuta le long règne de Catherine II.

Pourtant, beaucoup pensaient qu'elle ne resterait que peu de temps sur le trône. Il est vrai que, fille de princesse allemande de moindre importance et d'un officier d'armée, elle n'avait pas de sang russe et était née dans une province prussienne. Mais Catherine, faisant mentir ses détracteurs, régna seule sur la Russie pendant trente-quatre ans.

La nouvelle impératrice entreprit immédiatement de rétablir l'ordre et la prospérité d'un pays saigné par la guerre et la négligence de ses monarques. Des accusations de corruption et d'injustice s'élevaient de toutes parts. Le pays était ruiné. On raconte que l'impératrice travaillait sans relâche, du matin au soir, aux affaires de l'État.

En premier lieu, elle encouragea une réforme agricole, consciente que l'avenir de la Russie était dans ses terres et ses ressources naturelles. De nouvelles techniques et cultures furent initiées, des machines modernes importées d'Angleterre, et des travailleurs étrangers recrutés afin de repeupler la Russie rurale. Puis Catherine ordonna une étude approfondie des ressources minérales du pays et créa la première École russe des mines afin de former des géologues et des ouvriers spécialisés.

Elle favorisa aussi l'installation de nouvelles usines, en particulier dans les secteurs du textile et du cuir. En abolissant les taxes à l'exportation, elle relança le commerce extérieur, si bien qu'en cinq ans elle parvint à redresser l'économie du pays. Sous son règne, le nombre d'usines passa de neuf cent quatre-vingt-quatre à plus de trois mille. En 1781 débuta la construction d'une nouvelle voie vers la Sibérie.

Plus tard au cours de son règne, Catherine concentra ses efforts sur la santé, l'éducation et les arts. Elle encouragea le vaccin contre la petite vérole, principale cause de la mortalité chez les enfants, et fut la première à le recevoir afin d'en démontrer l'efficacité. Elle décréta que chaque province devait posséder un hôpital et fonda un collège de médecine.

En parallèle, elle fit appliquer un projet visant à doter chaque ville d'une école encadrée par des enseignants qualifiés et fonda un pensionnat de jeunes filles. L'une de ses plus grandes réussites fut la construction de l'Ermitage à Saint-Pétersbourg, qui abrite les œuvres d'art qu'elle collectionnait avec frénésie. Le palais reste à ce jour l'un des plus grands musées d'art au monde. Sous son règne, la bibliothèque impériale s'enrichit, passant de quelques centaines de livres à trente-huit mille ouvrages (elle acquit notamment les œuvres de Voltaire). Elle fut également à l'origine du *Dictionnaire impérial russe* qui regroupait des termes de deux cents langues différentes.

Si Catherine II manifesta dans un premier temps un intérêt certain pour les idées des Lumières — elle eut une longue correspondance avec Voltaire et Diderot, qu'elle accueillit à sa cour —, elle jugea sévèrement la Révolution française qu'elle qualifia de « repaire de brigands ». Il est vrai que ce « despote éclairé » privilégiea les nobles au détriment des serfs qui virent leur condition s'aggraver sous son règne. Ainsi une loi fut votée, autorisant leurs maîtres à les faire déporter en Sibérie.

De son vivant, Catherine reçut le titre de « la Grande », qu'elle déclina. « Je laisse à la postérité le soin de juger mes actes avec impartialité », déclara-t-elle.

Portrait de Catherine et de son époux

Portrait de l'impératrice Élisabeth

CATHERINE LA GRANDE, ARBRE GÉNÉALOGIQUE

Catherine la Grande : née princesse Sophie Augusta Fredericka d'Anhalt-Zerbst à Stettin, en Poméranie, le 21 avril 1729. Son surnom « Figchen » provient d'un diminutif de Sophie, *Sophiechen* ou *'fiechen*. Elle fut une enfant turbulente, garçon manqué et, déjà parmi ses camarades, on lui prêtait les qualités naturelles d'un chef. Dans les premières années de son adolescence, elle était assez ambitieuse pour s'imaginer en reine ou en impératrice et se disait prête à tout tenter pour y parvenir. Aussi, quand elle apprit que son promis, Pierre, était faible et repoussant, balaya-t-elle sa déception. Après tout, c'était le trône qui l'intéressait et non le mariage. On prétend qu'après ses noces, Catherine eut de nombreux amants et que ses enfants étaient tous illégitimes, y compris son fils aîné, qui devint le tsar Paul Ier à sa mort en 1796.

Princesse Jeanne Élisabeth de Holstein-Gottorp (1712-1760) : mère de Catherine. Caractérisée par sa froideur et sa brutalité, cette femme arriviste se passionnait pour les intrigues de cour et ne désirait rien tant que d'accéder à la notoriété par l'intermédiaire du mariage de sa fille avec un membre de la famille royale russe. Son tempérament arrogant et grossier ulcéra l'impératrice Élisabeth qui finit par la tenir à l'écart de sa fille et l'obligea à quitter la Russie après les noces royales.

Prince Christian Auguste Furst d'Anhalt-Zerbst (1690-1747) : général de l'armée prussienne, et luthérien, il s'opposa à ce que Figchen se convertisse au culte grec orthodoxe de l'Église russe. La dernière fois qu'il vit sa fille coïncida avec son départ de Berlin pour la Russie.

Mademoiselle Babette Cardel : le professeur chéri de Catherine était originaire d'une famille de huguenots qui avait fui la France pour l'Allemagne après la révocation de l'édit de Nantes. Elle n'accompagna pas Figchen en Russie.

Élisabeth Petrovna (1709-1762) : Tsarine (impératrice) de Russie. Fille de Pierre le Grand, elle régna sur la Russie pendant vingt ans, sans jamais se marier. Intelligente et vive, elle s'efforça de faire de la cour un haut lieu de la mode, fonda l'Université de Moscou et l'Académie des arts de Saint-Pétersbourg. Elle mourut en janvier 1762, date à laquelle son neveu le grand-duc devint le tsar Pierre III.

Pierre III (1728-1762) : petit-fils de Pierre le Grand, il était de constitution fragile et intellectuellement limité. Il épousa Catherine le 21 août 1745 mais leur mariage fut un échec. Sept mois après son avènement, le tsar Pierre III fut assassiné.

Les frères et sœurs de Catherine :
– Prince Wilhelm Christian Friedrich d'Anhalt-Zerbst-Dornburg (1730-1742).
– Prince Friedrich Auguste d'Anhalt-Zerbst-Dornburg (1734-1793).
– Princesse Augusta Christine Charlotte d'Anhalt-Zerbst-Dornburg (1736 — vécut deux semaines).
– Princesse Élisabeth Ulrike (1742-1745). Elle mourut à l'âge de deux ans et demi alors que sa mère se trouvait en Russie avec Figchen ; sa marraine était l'impératrice Élisabeth.

DES LIVRES ET DES FILMS

À LIRE

Histoire de la Russie, par Kathleen Berton Murell,
Les Yeux de la Découverte, Gallimard Jeunesse

Catherine la Grande, par Henri Troyat,
J'ai Lu

La fille du capitaine, par Pouchkine,
Folio classique, Gallimard

À VOIR

La fille du capitaine, d'Alexandre Prochkine,
avec Vladimir Machkov et Carolina Gruska

NOTE DE L'AUTEUR

Je tiens à remercier Elaine Kraft, bibliothécaire de la Pommerscher Verein Freistadt à Mequon, dans le Wisconsin, pour son aide généreuse et enthousiaste, et les photos, cartes, recettes et autres outils de recherche liés à l'enfance de Catherine en Poméranie.

La source de documents la plus intéressante vient de Catherine elle-même. Elle a laissé derrière elle du courrier personnel, des documents diplomatiques et plusieurs récits autobiographiques dont la plupart furent rédigés en français. Ces mémoires offrent un aperçu fascinant de sa personnalité énergique et des intrigues de cour mais, comme elle les écrivit à différentes époques de sa vie d'adulte — racontant souvent plusieurs fois les mêmes événements avec des détails différents —, certains se contredisent et induisent le lecteur en erreur. Par exemple, dans telle édition, elle raconte que son chien Ivan Ivanovitch était un caniche, et dans telle autre, elle précise que c'est un épagneul. Les orthographes des noms et des lieux diffèrent souvent, mais ce fait ne résulte peut-être que de fautes de traduction.

Quelques années avant que Catherine ne devienne impératrice, elle jeta au feu une partie de ses écrits, y compris son *Portrait d'une philosophe de quinze ans*. Voilà ce qu'il aurait été intéressant de lire !

À l'époque de Catherine, la valeur approximative d'un rouble or était de quinze euro (d'après la biographie de Henri Troyat en 1977). Cela signifie que la bague de fiançailles d'une valeur de quatorze mille roubles offerte à Pierre valait probablement autour de 210 000 euro.

Unanimement reconnue pour ses romans historiques à la fois passionnants et détaillés, **Kristiana Gregory** a également écrit de nombreux livres pour les pré-adolescents. Dans la collection Mon Histoire, elle a déjà publié *Cléopâtre, fille du Nil.* Elle vit à Boise, dans l'Idaho, avec sa famille.

DANS LA MÊME COLLECTION

PENDANT LA GUERRE DE CENT ANS

JOURNAL DE JEANNE LETOURNEUR, 1418

Tant qu'il me sera possible, j'écrirai tous les jours jusqu'à ce que cette maudite guerre finisse. S'il m'arrivait malheur, j'aimerais que mes parents retrouvent ce souvenir de moi.

NZINGHA

PRINCESSE AFRICAINE, 1595-1596

Me voici dans le jardin en train d'écrire dans la langue de notre pire ennemi. Si les mots ont un pouvoiir magique, ils me serviront peut-être à préparer un plan pour chasser les Portuguais de notre pays.

EN ROUTE VERS LE NOUVEAU MONDE

JOURNAL D'ESTHER WHIPPLE, 1620-1621

Terre en vue! Nous nous précipitâmes sur le pont. Certes, le voyage avait duré soixante-cinq interminables journées, mais nous voilà arrivés. Ceci est le Nouveau Monde; je m'en emplis les yeux pour la première fois.

DANS LA MÊME COLLECTION

L'ANNÉE DE LA GRANDE PESTE

JOURNAL D'ALICE PAYNTON, 1665-1666

Tante Nell est revenue toute pâle du marché. Elle a entendu deux hommes discuter : la semaine dernière, sept cents personnes sont mortes de la maladie. La peste s'est bel et bien installée à Londres.

SOUS LA RÉVOLUTION FRANÇAISE

JOURNAL DE LOUISE MÉDRÉAC, 1789-1792

En écrivant ces lignes, je crois encore respirer l'odeur forte qui a enveloppé le centre de la ville. Elle provient de la Bastille, prise cet après-midi. Qui aurait pu s'imaginer que la fureur populaire s'attaquerait à un tel monument ?

MARIE-ANTOINETTE

PRINCESSE AUTRICHIENNE À VERSAILLES, 1769-1771

J'ai à peine posé le pied dans la salle de réception que maman s'est précipitée vers moi. Elle m'a écrasée sur sa poitrine et m'a murmuré : « Antonia, tu vas te marier ! Tu vas devenir reine de France ! »

DANS LA MÊME COLLECTION

LE SOURIRE DE JOSÉPHINE

JOURNAL DE LÉONETTA, 1804

Cela s'est passé si vite que je n'ai pas eu le temps vraiment d'être impressionnée avant d'arriver devant... l'Impératrice !

PENDANT LA FAMINE, EN IRLANDE

JOURNAL DE PHYLLIS MCCORMACK, 1845-1847

Horrible, la pourriture a réduit en pourriture presque toutes les pommes de terre ! "La maladie nous aura tous" a dit P'pa. J'ai eu la chair de poule. Qu'est-ce qu'on va devenir ? Sûr que si on paie pas notre loyer, on sera jetés dehors.

JE SUIS UNE ESCLAVE

JOURNAL DE CLOTEE, 1859-1860

Liberté, c'est peut-être le premier mot que j'ai appris toute seule. Ici, les gens, ils prient, ils chantent pour la liberté. Mais c'est un mot qui me parle pas, que j'ai encore jamais pu voir.

DANS LA MÊME COLLECTION

LE TEMPS DES CERISES

JOURNAL DE MATHILDE, 1870-1871

Il ya quinze ans, une femme déposait aux Enfants-Trouvés un bébé de quelques jours. J'ai donc quinze ans. Et tant de rêves, tant de rêves dont je n'ose même pas parler.

S.O.S. TITANIC

JOURNAL DE JULIA FACCHINI, 1912

Le capitaine a posté des vigies à l'avant, avec mission de guetter les glaces à la dérive, ou le moindre signe du Titanic. *Comment imaginer qu'à quelques milles d'ici un navire aussi énorme soit en perdition?*

DANS PARIS OCCUPÉ

JOURNAL D'HÉLÈNE PITROU, 1940-1945

C'est une honte: Pétain a appellé les Français à «collaborer avec les Allemands». Et papa est prisonnier de ces gens avec qui il faudrait « collaborer » !

CRÉDITS PHOTOGRAPHIQUES

p. 165 : « portrait de Catherine la Grande (1729-1796) et du prince Pierre Fiodorovitch (1728-1762) », peint entre 1740 et 1745, huile sur toile, Georg Christoph Grooth, Odessa Fine Arts Museum, Ukraine © Bridgeman-Giraudon.
« Élisabeth Petrovna (1709-1762), impératrice de Russie », gravure de Tchmesov d'après un tableau de Louis Tocqué (1761), Bibliothèque nationale, Paris © Collection Roger-Viollet.

Mise en pages : Karine Benoit

Loi n° 49-956 du 16 juillet 1949
sur les publications destinées à la jeunesse

N° d'édition : 144314
Dépôt légal : septembre 2006
ISBN : 2-07-057767-8

Imprimé en Italie par LegoPrint